中华人民共和国国家标准

农业温室结构荷载规范

Code for the design load of horticultural greenhouse structures

GB/T 51183 - 2016

主编部门：中 华 人 民 共 和 国 农 业 部
批准部门：中华人民共和国住房和城乡建设部
施行日期：2 0 1 7 年 4 月 1 日

中国计划出版社

2016 北 京

中华人民共和国国家标准

农业温室结构荷载规范

GB/T 51183-2016

☆

中国计划出版社出版发行

网址：www.jhpress.com

地址：北京市西城区木樨地北里甲 11 号国宏大厦 C 座 3 层

邮政编码：100038　电话：(010) 63906433（发行部）

北京市科星印刷有限责任公司印刷

850mm×1168mm　1/32　2.75 印张　64 千字

2017 年 3 月第 1 版　2017 年 3 月第 1 次印刷

☆

统一书号：155182·0026

定价：17.00 元

中华人民共和国住房和城乡建设部公告

第 1262 号

住房城乡建设部关于发布国家标准《农业温室结构荷载规范》的公告

现批准《农业温室结构荷载规范》为国家标准，编号为 GB/T 51183—2016，自 2017 年 4 月 1 日起实施。

本规范由我部标准定额研究所组织中国计划出版社出版发行。

中华人民共和国住房和城乡建设部

2016 年 8 月 18 日

前　言

根据住房城乡建设部《关于印发〈2013年工程建设标准规范制订、修订计划〉的通知》（建标〔2013〕6号）的要求，规范编制组经广泛调查研究，认真总结实践经验，参考有关国际标准和国外先进标准，并在广泛征求意见的基础上，编制了本规范。

本规范共分8章和4个附录，主要技术内容是：总则，术语和符号，荷载分类和荷载组合，永久荷载，作物荷载，雪荷载，风荷载，其他可变荷载等。

本规范由住房城乡建设部负责管理，由农业部负责日常管理，由农业部规划设计研究院负责具体技术内容的解释。执行过程中如有意见或建议，请寄送农业部规划设计研究院（地址：北京市朝阳区麦子店街41号，邮政编码：100125）。

本规范主编单位、参编单位、主要起草人和主要审查人：

主 编 单 位：农业部规划设计研究院

参 编 单 位：农业部农业设施结构工程重点实验室
中国农业大学
上海都市绿色工程有限公司
北京京鹏环球科技股份有限公司
北京航天华阳环境工程有限公司
沧州温室制造有限公司
河南裕华光伏新材料股份有限公司

主要起草人：周长吉　闫俊月　张秋生　丁小明　魏晓明
周　磊　李　明　曹　楠　张跃峰　梁宗敏
王建国　蒋秀根　秦家利　杨　贵　周增产
刘卫明　韩希震　龚　健　何衍萍

主要审查人:黄之栋　杨铁荣　彭永宏　王心颖　陈水荣
刘建政　白义奎　赵跃龙　宋吉增　孙光昇
方瑞纲　周晓杰

目　　次

Contents

1 总 则

1.0.1 为规范农业温室结构设计荷载，做到安全适用、经济合理、技术先进，制定本规范。

1.0.2 本规范适用于农业温室的结构设计。

1.0.3 农业温室结构设计中涉及的作用应包括直接作用(荷载)和地基变形、混凝土收缩、焊接变形、温度变化或地震等引起的间接作用，本规范仅对荷载作出规定。

1.0.4 农业温室结构设计中涉及的荷载，除应符合本规范的规定外，尚应符合国家现行有关标准的规定。

2 术语和符号

2.1 术 语

2.1.1 加温温室 heated greenhouse

配套加温设备，冬季室内温度始终保持在设计温度以上的温室。

2.1.2 塑料大棚 plastic tunnel

耕作机械和种植人员不掀开塑料薄膜或拆除拱架即能进入作业的单拱塑料棚。

2.1.3 主体结构 main structure

由柱、屋架、桁架、天沟、支撑等构件组成的温室主要受力体系。

2.1.4 拉幕机 screening machine

由减速电机、传动机构等组成的用于收放遮阳网或保温幕的设备。

2.1.5 卷被机 rolling machine

由卷被轴、卷被电机等组成的用于卷放保温被、保温帘等保温材料的设备，亦称卷帘机。

2.1.6 吊蔓线 hang line

缠绕在作物茎秆上用于吊挂作物的线。

2.1.7 吊线 suspend line

用于吊挂作物并将作物荷载传递到温室结构上的线或杆。根据布置方式吊线分为一级吊线、二级吊线、三级吊线。水平方向布置，用于直接吊挂吊蔓线的线或杆称为三级吊线；水平方向布置，用于支撑三级吊线的线或杆称为二级吊线；竖直方向布置，用于吊挂二级吊线或三级吊线的线或杆称为一级吊线。

2.2 符　号

C——结构或结构构件达到正常使用要求的规定限值；

c_t——加热影响系数；

n——参与组合的可变荷载数；

R_d——结构构件抗力设计值；

s_0——基本雪压；

S_d——荷载组合的效应设计值；

S_{Gk}——永久荷载标准值计算的荷载效应值；

s_k——雪荷载标准值；

S_{Qk}——按可变荷载标准值计算的荷载效应值；

w_0——基本风压；

w_k——风荷载标准值；

γ_0——结构重要性系数；

γ_G——永久荷载分项系数；

γ_Q——可变荷载分项系数；

μ_r——屋面积雪分布系数；

μ_s——风荷载体型系数；

μ_{s1}——风荷载局部体型系数；

μ_z——风压高度变化系数；

Ψ_c——可变荷载的组合值系数；

Ψ_q——可变荷载的准永久值系数。

3 荷载分类和荷载组合

3.1 一 般 规 定

3.1.1 确定可变荷载的代表值时，设计基准期宜采用 30 年。

3.1.2 不同类型温室的设计使用年限应符合表 3.1.2 的规定。

表 3.1.2 不同类型温室的设计使用年限(年)

温室类型	玻璃温室	聚碳酸酯板温室	塑料薄膜温室	日光温室	塑料大棚
设计使用年限	20	20	15	10	10

注：日光温室若采用玻璃、聚碳酸酯板作为透光覆盖材料时，应分别按玻璃温室或聚碳酸酯板温室考虑。

3.1.3 温室钢结构安全等级宜为三级，结构重要性系数可取 0.90。

3.2 荷载分类和荷载代表值

3.2.1 温室结构的荷载可分为下列两类：

1 永久荷载，包括结构自重和安装在结构构件或围护构件上的固定设备自重等。

2 可变荷载，包括作物荷载、风荷载、雪荷载、屋面活荷载、安装在结构构件上的移动设备荷载、温度作用和地震作用等。

3.2.2 温室结构设计时，荷载代表值应符合下列规定：

1 永久荷载代表值应采用标准值。

2 可变荷载代表值应根据设计要求采用标准值、组合值和准永久值。

3.2.3 温度作用和地震作用可分别按现行国家标准《建筑结构荷载规范》GB 50009 和《建筑抗震设计规范》GB 50011 的有关规定执行。

3.2.4 按承载能力极限状态设计时，应按荷载效应的基本组合进行设计。对可变荷载应采用荷载的组合值作为其荷载代表值。可变荷载的组合值,应为可变荷载标准值乘以荷载组合值系数。

3.2.5 按正常使用极限状态设计时,应分别按荷载效应的标准组合和准永久组合进行设计。可变荷载的准永久值,应为可变荷载标准值乘以准永久值系数。

3.3 荷载组合

3.3.1 荷载组合应符合下列规定:

1 屋面均布活荷载不应与雪荷载同时计入,应取两者中的较大值。

2 施工检修集中荷载不应与屋面材料自重和作物荷载以外的其他荷载同时计入。

3 风荷载不应与地震作用同时计入。

4 屋面活荷载不应与地震作用同时计入。

5 温度作用不应与地震作用同时计入。

3.3.2 温室结构设计应根据使用过程中结构上可能同时出现的荷载,按承载能力极限状态和正常使用极限状态分别进行荷载组合,并应取各自最不利的组合进行设计。

3.3.3 承载能力极限状态设计应按荷载的基本组合计算荷载组合的效应设计值,并应符合下式要求:

$$\gamma_0 S_d \leqslant R_d \tag{3.3.3}$$

式中:γ_0——结构重要性系数,应按本规范第3.1.3条采用;

S_d——荷载组合的效应设计值;

R_d——结构构件抗力设计值,应按有关建筑结构设计规范的规定确定。

3.3.4 荷载基本组合的效应设计值 S_d,应按下式进行计算:

$$S_d = \gamma_G S_{Gk} + \gamma_{Q1} S_{Q1k} + \sum_{i=2}^{n} \gamma_{Qi} \psi_{ci} S_{Qik} \tag{3.3.4}$$

式中:γ_G——永久荷载分项系数;

γ_{Qi}——第 i 个可变荷载分项系数，其中 γ_{Q1} 为主导可变荷载的分项系数，应按本规范第 3.3.8 条采用；

S_{Gk}——永久荷载标准值计算的荷载效应值；

S_{Qik}——按第 i 个可变荷载标准值计算的荷载效应值，其中 S_{Q1k} 为诸可变荷载效应中起控制作用者；

Ψ_{ci}——第 i 个可变荷载的组合值系数；

n——参与组合的可变荷载数。

注：1 基本组合中的效应设计值仅适用于荷载与荷载效应为线性的情况。

2 当对 S_{Q1k} 无法明显判断时，应轮次以各可变荷载效应作为 S_{Q1k}，并选取其中最不利的荷载组合的效应设计值。

3.3.5 正常使用极限状态应根据不同的设计要求，采用荷载的标准组合或准永久组合，并应符合下式要求：

$$S_d \leqslant C \qquad (3.3.5)$$

式中：C——结构或结构构件达到正常使用要求的规定限值，如挠度、位移等的限值。

3.3.6 荷载标准组合的效应设计值 S_d，应按下式进行计算：

$$S_d = S_{Gk} + S_{Q1k} + \sum_{i=2}^{n} \Psi_{ci} S_{Qik} \qquad (3.3.6)$$

3.3.7 荷载准永久组合的效应设计值 S_d，应按下式进行计算：

$$S_d = S_{Gk} + \sum_{i=2}^{n} \Psi_{qi} S_{Qik} \qquad (3.3.7)$$

式中：Ψ_{qi}——第 i 个可变荷载的准永久值系数。

3.3.8 荷载和温度作用的分项系数应符合表 3.3.8-1 的规定，荷载和温度作用的组合值系数及准永久值系数应符合表 3.3.8-2 的规定。

表 3.3.8-1 荷载和温度作用的分项系数

项次	荷载名称	分项系数
1	永久荷载	1.00(0.95)
2	风荷载	1.00
3	雪荷载	1.20

续表 3.3.8-1

项次	荷载名称	分项系数
4	屋面活荷载	1.20
5	作物荷载	1.20
6	移动设备荷载	1.20
7	温度作用	1.00

注：当永久荷载对结构有利时，永久荷载分项系数取括号中数值。

表 3.3.8-2 荷载和温度作用的组合值系数及准永久值系数

项次	可变荷载种类	组合值系数	准永久值系数
1	风荷载	0.60	0
2	雪荷载	0.70	按现行国家标准《建筑结构荷载规范》GB 50009 的有关规定取值
3	屋面活荷载	0.70	0
4	作物荷载	0.70	0.50
5	移动设备荷载	0.70	0.50
6	温度作用	0.60	0.40

3.3.9 考虑地震作用时，应按现行国家标准《建筑抗震设计规范》GB 50011 的有关规定进行荷载组合，温室结构的重力荷载代表值应取结构自重标准值和各可变荷载组合值之和，可变荷载的组合值系数应按表 3.3.9 的规定采用。

表 3.3.9 可变荷载的组合值系数

项次	可变荷载种类	组合值系数
1	风荷载	不计入
2	雪荷载	0.50
3	屋面活荷载	不计入
4	作物荷载	0.50
5	移动设备荷载	0.50

4 永久荷载

4.0.1 永久荷载可包括结构构件、围护构件、固定设备的自重以及其他需要按永久荷载考虑的荷载。

4.0.2 结构构件、围护构件自重的标准值可按其设计尺寸计算确定。温室常用材料的自重可按本规范附录A的规定取值，其他材料可按现行国家标准《建筑结构荷载规范》GB 50009的有关规定采用。

4.0.3 固定设备可包括加温、降温、遮阳、补光、通风和保温等设备。其自重应根据设计尺寸或咨询设备供应商确定，温室内固定设备荷载尚未确定时，可按0.07kN/m^2的竖向均布荷载采用。温室常用设备的自重可按本规范附录A的规定取值。

4.0.4 温室拉幕机单根钢缆驱动线、压幕线、托幕线和吊挂微喷灌系统的水平支撑线在其端部固定点的最小水平拉力，宜按表4.0.4的规定采用。

表4.0.4 拉幕机单根钢缆驱动线、压幕线、托幕线和吊挂微喷灌系统的水平支撑线在其端部固定点的最小水平拉力

项次	类别	端部固定点的最小水平拉力(kN)	线间距(mm)
1	拉幕机钢缆驱动线	1.00	3000～4000
2	拉幕机托幕线	0.50	400～500
3	拉幕机压幕线	0.25	800～1000
4	吊挂微喷灌系统的水平支撑线	1.25	2000～4000

5 作物荷载

5.0.1 作物荷载应包括吊挂在温室结构上的作物、栽培容器及容器内基质等的重量。

5.0.2 作物荷载标准值可按表5.0.2的规定取值。

表5.0.2 作物荷载标准值

项次	类别	单点吊挂荷载（kN/株、盆）	单位面积荷载（kN/m²）	备注
1	茄果类、西甜瓜类	0.08	0.15	不含栽培容器及基质重量
2	小型盆栽类	0.10	0.30	含栽培容器及基质重量
3	大型盆栽类	0.30	1.00	含栽培容器及基质重量

注：1 小型盆栽指直径为25cm以下的花盆，大型盆栽指直径大于25cm的花盆。
2 特殊种植的作物荷载应按实际情况计算。

5.0.3 作物荷载的作用方式应取决于吊挂方式，温室常见的作物吊挂方式可按本规范附录B的方法采用。设计已确定吊挂方式时，可按本规范表5.0.2中单点吊挂荷载计算，折算的单位面积荷载不得低于本规范表5.0.2的规定；设计未确定吊挂方式时，可按本规范表5.0.2中单位面积荷载计算。

5.0.4 作物荷载通过吊线作用在温室结构上时，吊线端部作用到温室结构上的水平力、竖向力及吊线的张力应按本规范附录B的方法计算。

6 雪 荷 载

6.1 雪荷载标准值及基本雪压

6.1.1 屋面水平投影面上的雪荷载标准值应按下式计算：

$$s_k = \mu_r c_t s_0 \tag{6.1.1}$$

式中：s_k——雪荷载标准值（kN/m^2）；

μ_r——屋面积雪分布系数；

c_t——加热影响系数；

s_0——基本雪压（kN/m^2）。

6.1.2 全国各地温室不同设计使用年限的基本雪压，应符合本规范附录C的规定。

6.2 屋面积雪分布系数及加热影响系数

6.2.1 屋面积雪分布系数应根据屋面类别，按表6.2.1采用。

表 6.2.1 屋面积雪分布系数

<table>
<tr><th>项次</th><th>类别</th><th>屋面形式及积雪分布系数 μ_r</th><th>备注</th></tr>
<tr><td>1</td><td>单跨单坡屋面</td><td> 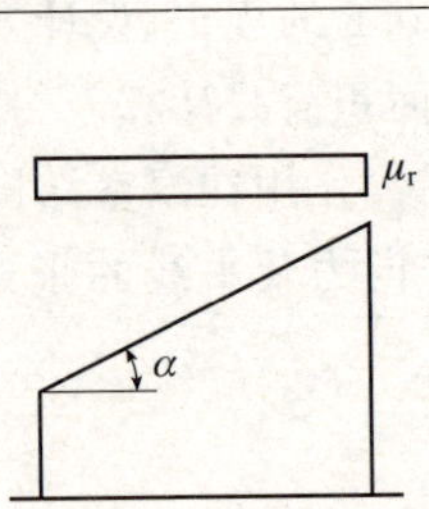μ_r
α
<table><tr><td>α</td><td>≤30°</td><td>30°<α<60°</td><td>≥60°</td></tr><tr><td>μ_r</td><td>0.8</td><td>0.8（60°−α）/30°</td><td>0</td></tr></table></td><td>—</td></tr>
</table>

续表 6.2.1

项次	类别	屋面形式及积雪分布系数 μ_r	备注
2	单跨双坡屋面	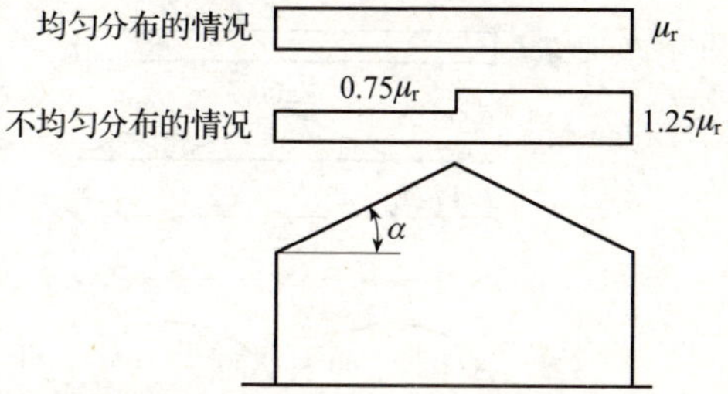 均匀分布的情况 μ_r 不均匀分布的情况 $0.75\mu_r$ $1.25\mu_r$ α	μ_r 按本表第 1 项规定采用
3	单跨拱形屋面	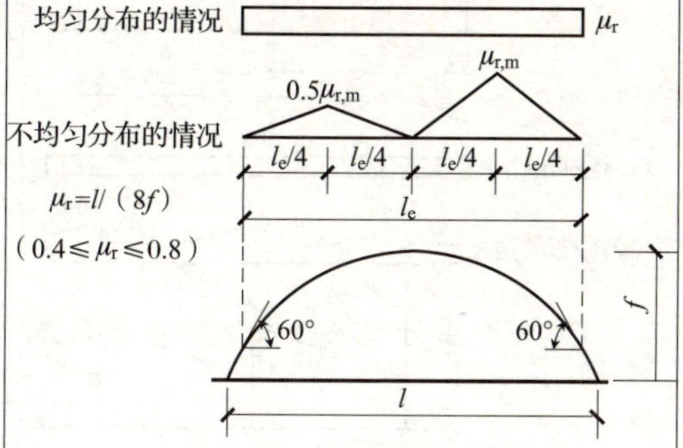 均匀分布的情况 μ_r 不均匀分布的情况 $0.5\mu_{r,m}$ $\mu_{r,m}$ $l_e/4$ $l_e/4$ $l_e/4$ $l_e/4$ l_e $\mu_r = l/(8f)$ $(0.4 \leqslant \mu_r \leqslant 0.8)$ 60° 60° f l $\mu_{r,m} = 0.2 + 10f/l$ $(\mu_{r,m} \leqslant 1.0)$	—
4	双跨双坡屋面	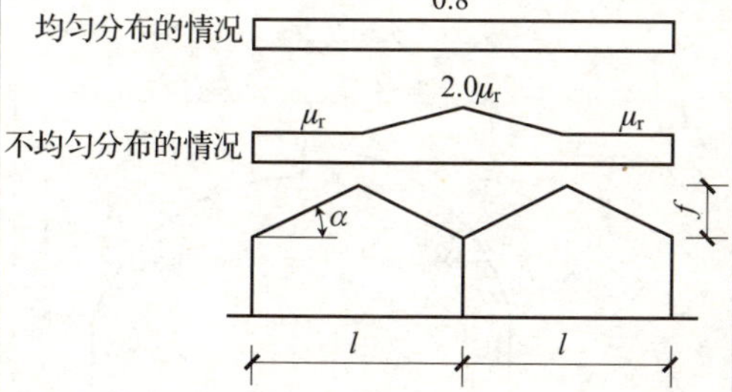 均匀分布的情况 0.8 不均匀分布的情况 μ_r $2.0\mu_r$ μ_r α f l l	1. μ_r 按本表第 1 项规定采用； 2. 仅 α 不大于 25° 或 f/l 不大于 0.1 时，只采用均匀分布情况； 3. 多跨双坡屋面的积雪分布系数参照本项规定

续表 6.2.1

项次	类别	屋面形式及积雪分布系数 μ_r	备注
5	双跨拱形屋面	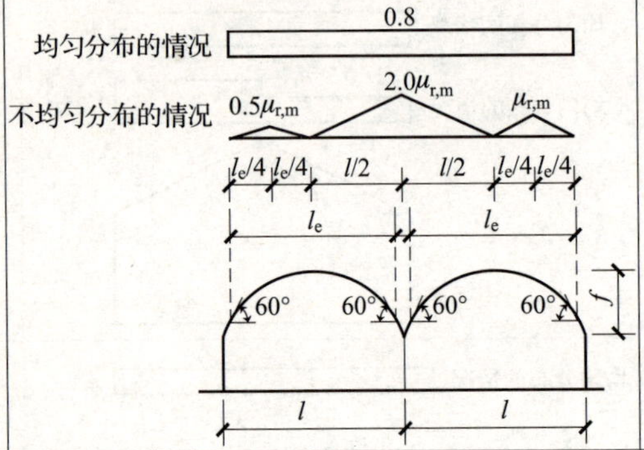 均匀分布的情况 0.8 不均匀分布的情况 $0.5\mu_{r,m}$ $2.0\mu_{r,m}$ $\mu_{r,m}$ $l_e/4$ $l_e/4$ $l/2$ $l/2$ $l_e/4$ $l_e/4$ l_e l_e 60° 60° 60° 60° f l l	1. $\mu_{r,m}$ 按本表第 3 项规定采用； 2. 多跨拱形屋面的积雪分布系数参照本项规定
6	多跨Ⅰ型锯齿形屋面	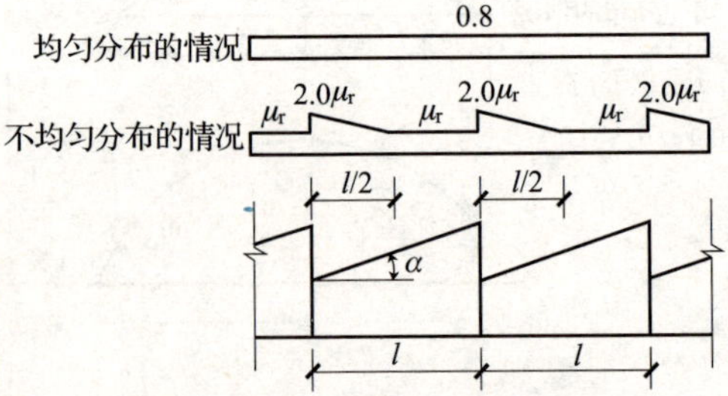 均匀分布的情况 0.8 不均匀分布的情况 μ_r $2.0\mu_r$ μ_r $2.0\mu_r$ μ_r $2.0\mu_r$ $l/2$ $l/2$ α l l	μ_r 按本表第 1 项规定采用
7	单跨Ⅱ型锯齿形屋面	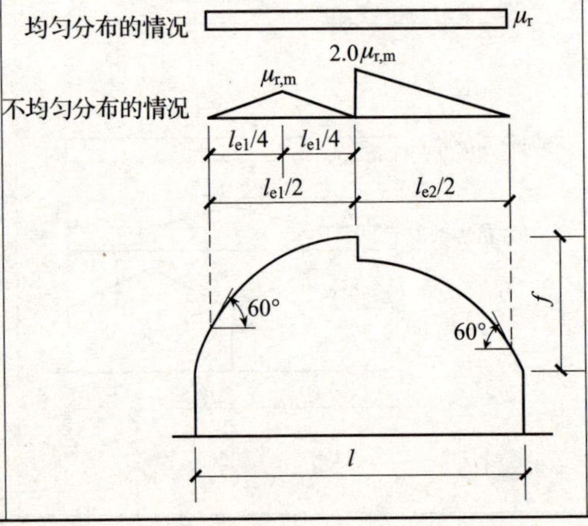 均匀分布的情况 μ_r 不均匀分布的情况 $\mu_{r,m}$ $2.0\mu_{r,m}$ $l_{e1}/4$ $l_{e1}/4$ $l_{e1}/2$ $l_{e2}/2$ 60° 60° f l	μ_r 和 $\mu_{r,m}$ 按本表第 3 项规定采用

续表 6.2.1

项次	类别	屋面形式及积雪分布系数 μ_r	备注
8	双跨Ⅱ型锯齿形屋面	均匀分布的情况 0.8 不均匀分布的情况 $\mu_{r,m}$ $2.0\mu_{r,m}$ $2.0\mu_{r,m}$ $l_{e1}/4$ $l_{e1}/4$ $l_{e1}/2$ $l_2/2$ $l_1/2$ $l_{e2}/2$ 60° 60° f l l	1. $\mu_{r,m}$ 按本表第 3 项规定采用； 2. 多跨Ⅱ型锯齿形屋面的积雪分布系数参照本项规定
9	双跨Ⅲ型锯齿形屋面	均匀分布的情况 0.8 不均匀分布的情况1 $\mu_{r,m}$ $0.5\mu_{r,m}$ $2.0\mu_{r,m}$ $0.5\mu_{r,m}$ 不均匀分布的情况2 $0.5\mu_{r,m}$ $\mu_{r,m}$ $2.0\mu_{r,m}$ $\mu_{r,m}$ $l_e/4$ $l_e/4$ l_1 $l/2$ l_1 60° f $l/2$	1. $\mu_{r,m}$ 按本表第 3 项规定采用； 2. 多跨Ⅲ型锯齿形屋面的积雪分布系数参照本项规定
10	Ⅰ型高低屋面	1.0 1.6 0.8 a l l l l $a=1.5l$ （$l>5$m） $a=2.5l$ （$l\leqslant 5$m）	—

续表 6.2.1

项次	类别	屋面形式及积雪分布系数 μ_r	备注
11	Ⅱ型 高低 屋面	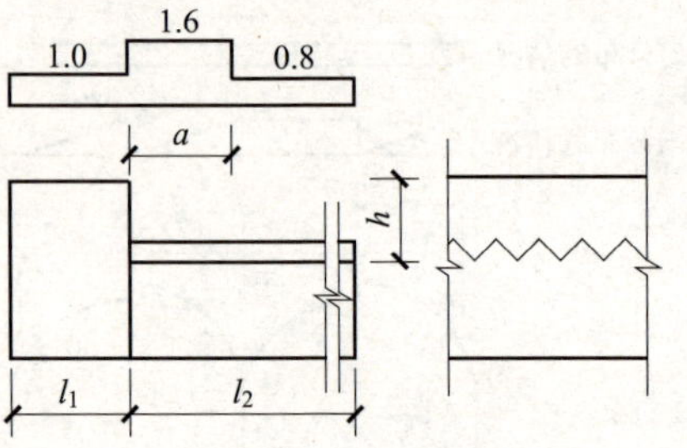 1.6 1.0　0.8 a　h l_1　l_2 $a=2h$　($4\text{m}<a<8\text{m}$)	低屋面还应按本表第4项规定考虑跨度方向不均匀分布的情况
12	日光 温室 屋面	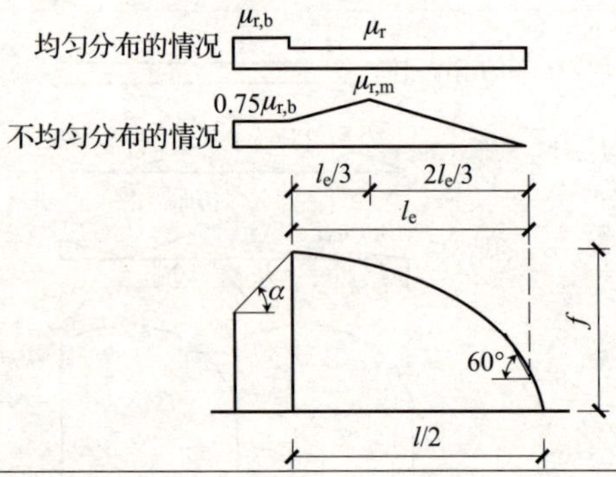 均匀分布的情况　$\mu_{r,b}$　μ_r 不均匀分布的情况　$0.75\mu_{r,b}$　$\mu_{r,m}$ $l_e/3$　$2l_e/3$ l_e α　60°　f $l/2$	1. $\mu_{r,b}$ 按本表第1项规定采用； 2. μ_r 和 $\mu_{r,m}$ 按本表第3项规定采用； 3. 覆盖保温被时，$\mu_{r,m}$ 最大值可取2.0
13	阴阳型 日光 温室 屋面	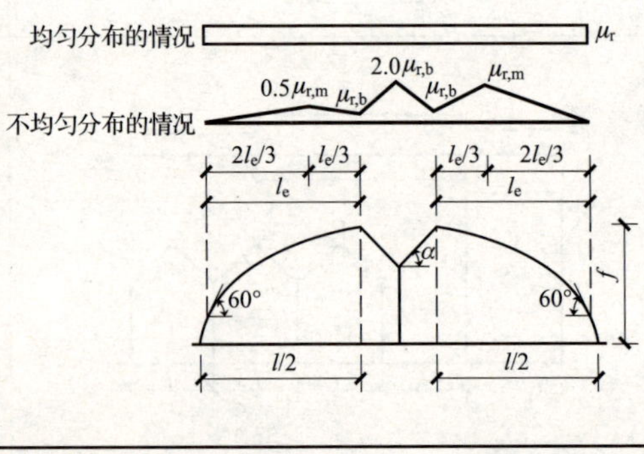 均匀分布的情况　μ_r 不均匀分布的情况　$0.5\mu_{r,m}$　$\mu_{r,b}$　$2.0\mu_{r,b}$　$\mu_{r,b}$　$\mu_{r,m}$ $2l_e/3$　$l_e/3$　$l_e/3$　$2l_e/3$ l_e　l_e 60°　α　60°　f $l/2$　$l/2$	1. $\mu_{r,b}$ 按本表第1项规定采用； 2. μ_r 和 $\mu_{r,m}$ 按本表第3项规定采用； 3. 覆盖保温被时，拱屋面雪荷载分布系数最大值可取2.0

注：屋面透光覆盖材料为塑料薄膜时，积雪分布系数只有在采取相应措施防止其凹陷，避免形成局部积雪的条件下方可按表6.2.1采用。

6.2.2 加热影响系数应根据温室屋面覆盖材料类别，按表 6.2.2 的规定取值。

表 6.2.2 加热影响系数

项次	类别	加热影响系数 c_t	
		加温温室	其他温室
1	单层玻璃	0.6	1.0
2	双层中空玻璃	0.7	1.0
3	单层塑料薄膜	0.6	1.0
4	双层充气膜	0.6	1.0
5	聚碳酸酯中空板	0.7	1.0

注：1 配有屋面融雪装置且下雪时能自动打开进行融雪作业的温室，可按加温温室取值。

2 如施工和使用期间室内气温低于 10℃，设计时应按其他温室计算。

6.2.3 设计温室结构及屋面承重构件时，应按下列规定采用积雪的分布情况：

1 温室结构整体计算时，应分别按屋面积雪的均匀分布和不均匀分布情况计算。

2 屋面覆盖材料和檩条计算时，应按积雪不均匀分布的最不利情况采用。

7 风 荷 载

7.1 风荷载标准值及基本风压

7.1.1 垂直于温室表面上的风荷载标准值，应符合下列规定：

1 计算温室主体结构时，应按下式计算：

$$w_k = \mu_s \mu_z w_0 \tag{7.1.1-1}$$

式中：w_k——风荷载标准值（kN/m^2）；

μ_s——风荷载体型系数；

μ_z——风压高度变化系数；

w_0——基本风压（kN/m^2）。

2 计算围护结构时，应按下式计算：

$$w_k = \mu_{s1} \mu_z w_0 \tag{7.1.1-2}$$

式中：μ_{s1}——风荷载局部体型系数。

7.1.2 基本风压应按空旷平坦地形离地 10m 高处时距为 3s 风速确定的风压值采用，且不应小于 $0.25kN/m^2$。全国各地温室不同设计使用年限的基本风压应符合本规范附录 D 的规定。

7.1.3 当建设地点的基本风压值在本规范附录 D 未给出时，应按下列方法计算：

1 可根据当地至少 10 年以上的 3s 瞬时风速资料，按照现行国家标准《建筑结构荷载规范》GB 50009 的规定，通过统计分析确定。无风速资料时，可根据附近地区规定的基本风压或长期资料，通过气象和地形条件的对比分析确定。

2 可根据温室设计使用年限按现行国家标准《建筑结构荷载规范》GB 50009 规定的时距为 10min 风速确定的基本风压乘以阵风系数确定，阵风系数可取 1.50。

7.2 风压高度变化系数

7.2.1 对于平坦或稍有起伏的地形，风压高度变化系数应根据地面粗糙度类别按表7.2.1确定。

表7.2.1 风压高度变化系数

离地面高度(m)	地面粗糙度类别		
	A	B	C
3.0	1.00	0.70	0.60
4.0	1.03	0.76	0.60
5.0	1.09	0.81	0.60
6.0	1.14	0.86	0.60
8.0	1.22	0.94	0.60
10.0	1.28	1.00	0.65

注：A类指近海海面和海岛、海岸、湖岸及沙漠、戈壁地区；B类指田野、乡村、丛林、丘陵以及房屋比较稀疏的乡镇；C类指有密集建筑群的城市市区。

7.2.2 在山区建设的温室，风压高度变化系数应按现行国家标准《建筑结构荷载规范》GB 50009的有关规定进行修正。

7.2.3 风压高度变化系数计算时，温室主体结构和围护结构高度计算应符合下列规定：

1 温室主体结构：按屋檐高度与屋面高度的一半之和计算；

2 墙体围护结构：按屋檐高度计算；

3 屋面围护结构：按屋脊高度计算。

7.3 风荷载体型系数

7.3.1 风荷载体型系数，应按下列规定采用：

1 0°风方向时，应按表7.3.1-1采用；90°风方向时，应按表7.3.1-2采用；

2 温室体型与表7.3.1-1和表7.3.1-2中的体型类同时，可按相应表的规定采用；

3 温室体型与表 7.3.1-1 和表 7.3.1-2 中的体型不同时，可按有关资料采用；当无资料时，宜由风洞实验确定；

4 对设计有启闭通风口的温室在风荷载设计中宜按通风口关闭状态设计。

表 7.3.1-1　0°风方向风荷载体型系数

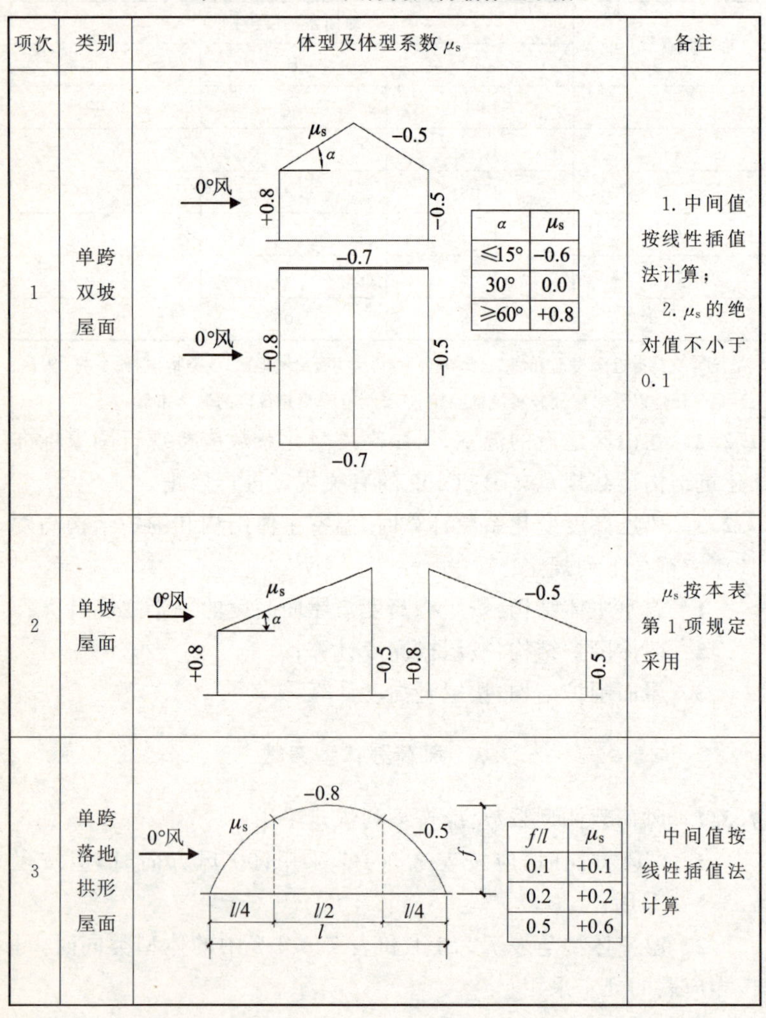

项次	类别	体型及体型系数 μ_s	备注
1	单跨双坡屋面	α / μ_s: ≤15° / −0.6 30° / 0.0 ≥60° / +0.8	1. 中间值按线性插值法计算； 2. μ_s 的绝对值不小于 0.1
2	单坡屋面		μ_s 按本表第 1 项规定采用
3	单跨落地拱形屋面	f/l / μ_s: 0.1 / +0.1 0.2 / +0.2 0.5 / +0.6	中间值按线性插值法计算

续表 7.3.1-1

<table>
<tr><th>项次</th><th>类别</th><th>体型及体型系数 μ_s</th><th>备注</th></tr>
<tr><td>4</td><td>拱形
屋面</td><td>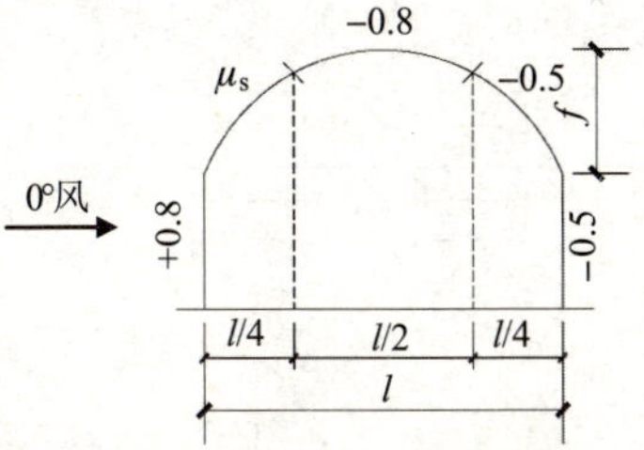

<table>
<tr><th>f/l</th><th>μ_s</th></tr>
<tr><td>0.1</td><td>−0.8</td></tr>
<tr><td>0.2</td><td>0.0</td></tr>
<tr><td>0.5</td><td>+0.6</td></tr>
</table></td><td>1. 中间值按线性插值法计算；
2. μ_s 的绝对值不小于 0.1</td></tr>
<tr><td>5</td><td>多跨
双坡
屋面</td><td>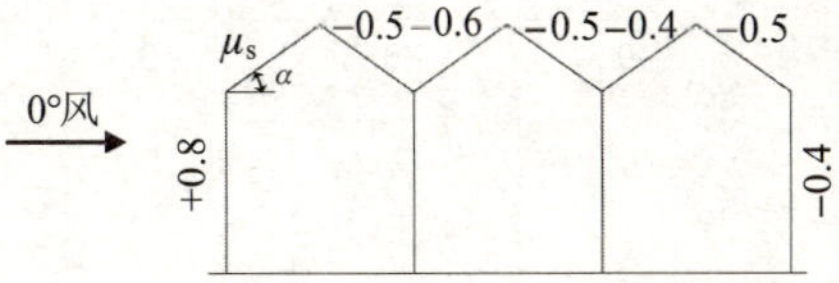
</td><td>μ_s 按本表第 1 项规定采用</td></tr>
<tr><td>6</td><td>多跨
拱形
屋面</td><td>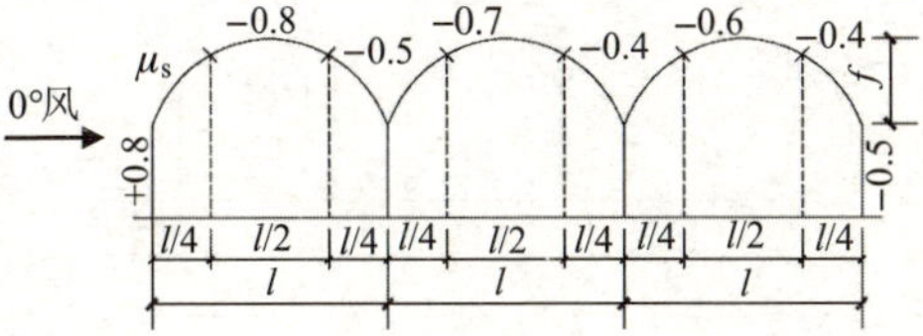
</td><td>μ_s 按本表第 4 项规定采用</td></tr>
<tr><td>7</td><td>多跨
Ⅰ型
锯齿形
屋面</td><td>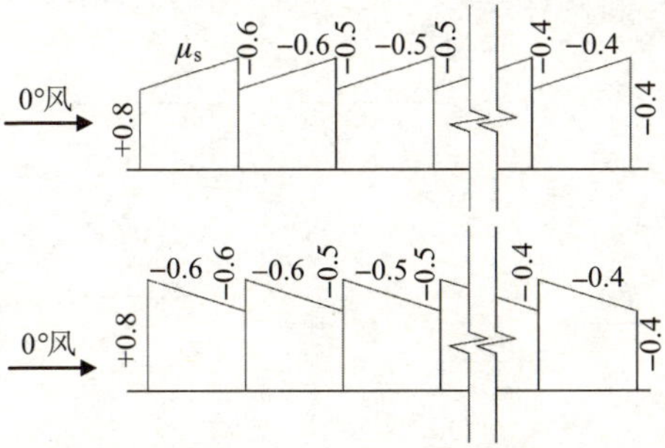
</td><td>μ_s 按本表第 1 项规定采用</td></tr>
</table>

续表 7.3.1-1

项次	类别	体型及体型系数 μ_s	备注
8	多跨Ⅱ型锯齿形屋面	0°风 μ_s −0.8 −0.6 −0.6 −0.7 −0.5 −0.5 −0.6 −0.4 −0.4 +0.8 −0.4 f $l_1/4$ $l_1/4$ $l_1/2$ 0°风 μ_s −0.8 +0.6 −0.6 −0.7 +0.6 −0.5 −0.6 +0.6 −0.4 +0.8 −0.4 f $l_2/4$ $l_2/4$ $l_2/2$	μ_s 按本表第 4 项规定采用
9	多跨Ⅲ型锯齿形屋面	0°风 μ_s −0.8 −0.6 −0.6 −0.7 −0.5 −0.6 −0.6 +0.8 −0.4 f $l/4$ 0°风 −0.8 −0.5 −0.6 −0.7 −0.4 −0.5 −0.6 −0.4 +0.8 −0.4 f $l/4$	μ_s 按本表第 4 项规定采用
10	日光温室屋面	0°风 $\mu_{s,b}$ α +0.8 −0.8 −0.5 f $l/4$ $l/4$ $l/2$ 0°风 μ_s −0.8 −0.5 −0.5 f $l/4$ $l/4$ $l/2$	1. $\mu_{s,b}$ 按本表第 1 项规定采用； 2. μ_s 按本表第 3 项规定采用

续表 7.3.1-1

项次	类别	体型及体型系数 μ_s	备注
11	阴阳型日光温室屋面	0°风；μ_s；−0.8；−0.5；−0.6；−0.8；−0.4；f；$l/4$；$l/4$；$l/4$；$l/4$；$l/2$；$l/2$	μ_s按本表第3项规定采用

注：1 表中未注明的形式可参照现行国家标准《建筑结构荷载规范》GB 50009 的有关规定取值。

2 表中未标明山墙的风荷载体型系数参照本表第1项规定采用。

3 表中结构均为封闭结构。

4 0°风方向指风向垂直于温室屋脊方向。

表 7.3.1-2 90°风方向风荷载体型系数

项次	类别	体型及体型系数 μ_s	备注
1	多跨双坡屋面	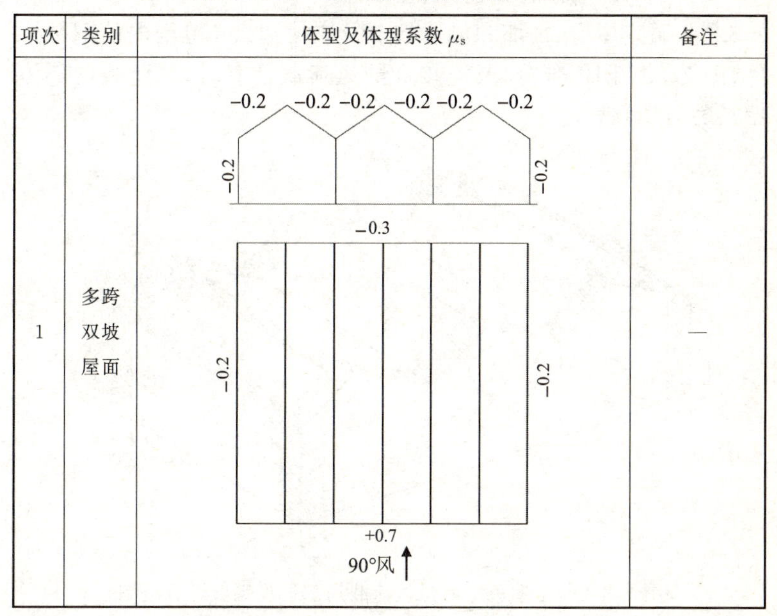	—

续表 7.3.1-2

项次	类别	体型及体型系数 μ_s	备注
2	单跨落地拱形屋面	−0.3	山墙的风荷载体型系数按本表第1项规定采用
3	多跨拱形屋面	−0.3 −0.3 −0.3 −0.3 −0.3	山墙的风荷载体型系数按本表第1项规定采用

注:1 坡屋面温室的风荷载体型系数可按本表第1项规定取值。

2 日光温室屋面及阴阳型日光温室屋面的风荷载体型系数可按本表第2项规定取值。

3 90°风方向指风向平行于温室屋脊方向。

7.3.2 温室屋脊、山墙和侧墙端部及屋檐边 2m 范围内的围护构件(图 7.3.2 阴影部分)及连接件的风荷载计算时,风荷载局部体型系数 μ_{s1} 可取 1.50。

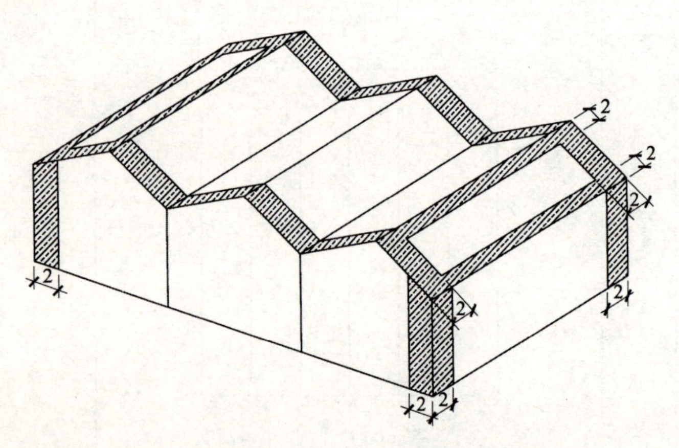

图 7.3.2 温室边缘部位风荷载局部体型系数计算范围

8 其他可变荷载

8.1 屋面活荷载

8.1.1 主体结构整体计算时，屋面均布活荷载标准值可按水平投影面积计算。承受荷载水平投影面积大于或等于 $30m^2$ 的主体结构，屋面均布活荷载标准值应取 $0.10kN/m^2$；不大于 $30m^2$ 的主体结构，屋面均布活荷载标准值应取 $0.15kN/m^2$。

8.1.2 屋面构件计算时，施工检修集中荷载标准值可取 1.0kN，且作用在结构最不利位置上；当施工检修集中荷载可能超过 1.0kN 时，应按实际情况采用。

8.2 移动设备荷载

8.2.1 安装在温室结构上的移动设备可包括自行走式喷灌车、卷被机、吊挂或支撑在温室结构上的物流运输设备、屋面清雪设备等。

8.2.2 移动设备荷载应根据设备供应商提供的设备自重和设备最大设计运载能力等进行计算。温室常用移动设备的自重可按本规范附录 A 的规定取值。移动设备的动力系数可按 1.0 取值。

附录A　温室常用材料和设备的自重

表A　温室常用材料和设备的自重

<table>
<tr><th>项次</th><th colspan="2">名　称</th><th>自重</th><th>备　注</th></tr>
<tr><td rowspan="24">1</td><td rowspan="24">透光覆盖材料(kN/m²)</td><td rowspan="2">普通平板玻璃</td><td>0.120</td><td>4mm厚,含支撑框</td></tr>
<tr><td>0.150</td><td>5mm厚,含支撑框</td></tr>
<tr><td rowspan="2">双层中空玻璃</td><td>0.236</td><td>4mm+9A+4mm厚,含支撑框</td></tr>
<tr><td>0.286</td><td>5mm+6A+5mm厚,含支撑框</td></tr>
<tr><td rowspan="3">非晶硅电池组件</td><td>0.200</td><td>6.8mm厚,含支撑框</td></tr>
<tr><td>0.240</td><td>8.6mm厚,含支撑框</td></tr>
<tr><td>0.310</td><td>11.6mm厚,含支撑框</td></tr>
<tr><td rowspan="2">晶硅电池组件</td><td>0.150</td><td>4mm厚,含支撑框</td></tr>
<tr><td>0.200</td><td>7.7mm厚,含支撑框</td></tr>
<tr><td rowspan="4">塑料薄膜
(按1mm厚计)</td><td>0.010</td><td>聚乙烯(PE)膜</td></tr>
<tr><td>0.014</td><td>聚氯乙烯(PVC)膜</td></tr>
<tr><td>0.010</td><td>醋酸乙烯(EVA)膜</td></tr>
<tr><td>0.014</td><td>聚酯(PET)膜</td></tr>
<tr><td rowspan="4">双层聚碳酸酯中空板</td><td>0.023</td><td>6mm厚,含支撑框</td></tr>
<tr><td>0.025</td><td>8mm厚,含支撑框</td></tr>
<tr><td>0.027</td><td>10mm厚,含支撑框</td></tr>
<tr><td>0.029</td><td>12mm厚,含支撑框</td></tr>
<tr><td rowspan="3">三层聚碳酸酯中空板</td><td>0.026</td><td>8mm厚,含支撑框</td></tr>
<tr><td>0.028</td><td>10mm厚,含支撑框</td></tr>
<tr><td>0.031</td><td>12mm厚,含支撑框</td></tr>
<tr><td rowspan="2">四层聚碳酸酯中空板</td><td>0.031</td><td>10mm厚,含支撑框</td></tr>
<tr><td>0.033</td><td>12mm厚,含支撑框</td></tr>
<tr><td>聚碳酸酯浪板</td><td>0.012</td><td>0.8mm厚</td></tr>
<tr><td>亚克力(PMMA)板</td><td>0.050</td><td>按4mm厚计</td></tr>
<tr><td></td><td></td><td>硬质聚氯乙烯(UPVC)板</td><td>0.050</td><td>按3mm厚计</td></tr>
</table>

续表 A

项次	名称		自重	备注
2	遮阳网 (kN/m^2)	黑色遮阳网	0.0002	—
		银灰色遮阳网	0.0002	—
		缀铝外遮阳网	0.0015	—
		缀铝内遮阳网	0.0010	—
3	防虫网 (kN/m^2)	低压高密度聚乙烯防虫网	0.002	—
		不锈钢丝防虫网	0.016	20目
			0.014	30目
			0.013	40目
			0.010	50目
			0.008	60目
4	保温被 (kN/m^2)	发泡聚乙烯保温被	0.0065	13mm厚
			0.007	15mm厚
		发泡橡塑保温被	0.015	20mm厚
		针刺毡保温被	0.012	干燥状态,30mm厚
			0.030	潮湿状态
		草苫保温被	0.020	干燥状态,50mm厚
			0.050	潮湿状态
5	散热器 (kN/m)	圆翼散热器	0.052	*DN*20,管道未充水时重量
			0.060	*DN*25,管道未充水时重量
			0.086	*DN*32,管道未充水时重量
			0.085	*DN*40,管道未充水时重量
			0.115	*DN*50,管道未充水时重量
			0.150	*DN*65,管道未充水时重量
			0.195	*DN*80,管道未充水时重量
			0.235	*DN*100,管道未充水时重量
			0.285	*DN*125,管道未充水时重量
			0.055	*DN*20,管道充满水时重量

续表 A

项次	名称		自重	备注
5	散热器(kN/m)	圆翼散热器	0.065	*DN*25,管道充满水时重量
			0.095	*DN*32,管道充满水时重量
			0.098	*DN*40,管道充满水时重量
			0.137	*DN*50,管道充满水时重量
			0.186	*DN*65,管道充满水时重量
			0.245	*DN*80,管道充满水时重量
			0.310	*DN*100,管道充满水时重量
			0.405	*DN*125,管道充满水时重量
		光管散热器	0.016	*DN*20,管道未充水时重量
			0.022	*DN*25,管道未充水时重量
			0.033	*DN*32,管道未充水时重量
			0.041	*DN*40,管道未充水时重量
			0.049	*DN*50,管道未充水时重量
			0.071	*DN*65,管道未充水时重量
			0.104	*DN*80,管道未充水时重量
			0.127	*DN*100,管道未充水时重量
			0.158	*DN*125,管道未充水时重量
			0.019	*DN*20,管道充满水时重量
			0.027	*DN*25,管道充满水时重量
			0.043	*DN*32,管道充满水时重量
			0.056	*DN*40,管道充满水时重量
			0.071	*DN*50,管道充满水时重量
			0.107	*DN*65,管道充满水时重量
			0.153	*DN*80,管道充满水时重量
			0.202	*DN*100,管道充满水时重量
			0.276	*DN*125,管道充满水时重量

续表 A

<table>
<tr><th>项次</th><th colspan="2">名称</th><th>自重</th><th>备注</th></tr>
<tr><td rowspan="6">6</td><td rowspan="6">自行走式喷灌车及其配套设备</td><td rowspan="4">喷灌车(kN/台)</td><td>1.55</td><td>不带施肥桶空载,喷杆长度按 12m 计</td></tr>
<tr><td>1.75</td><td>不带施肥桶满负载,喷杆长度按 12m 计</td></tr>
<tr><td>1.90</td><td>带施肥桶空载,喷杆长度按 12m 计</td></tr>
<tr><td>2.20</td><td>带施肥桶满负载,喷杆长度按 12m 计</td></tr>
<tr><td>轨道转移车(kN/台)</td><td>0.56</td><td>—</td></tr>
<tr><td>轨道(kN/m)</td><td>0.14</td><td>双轨道</td></tr>
<tr><td rowspan="3">7</td><td rowspan="3">日光温室吊挂运输车</td><td>自重(kN/台)</td><td>0.15</td><td>—</td></tr>
<tr><td>载重(kN/台)</td><td>0.50</td><td>—</td></tr>
<tr><td>轨道重(kN/m)</td><td>0.12</td><td>—</td></tr>
<tr><td rowspan="2">8</td><td colspan="2" rowspan="2">日光温室卷被机(kN/台)</td><td>0.50</td><td>侧卷式,不含卷轴</td></tr>
<tr><td>0.90</td><td>中卷式,不含卷轴</td></tr>
<tr><td rowspan="5">9</td><td colspan="2" rowspan="5">循环风机(kN/台)</td><td>0.45</td><td>直径 915mm</td></tr>
<tr><td>0.35</td><td>直径 760mm</td></tr>
<tr><td>0.30</td><td>直径 640mm</td></tr>
<tr><td>0.20</td><td>直径 550mm</td></tr>
<tr><td>0.15</td><td>直径 450mm</td></tr>
<tr><td rowspan="4">10</td><td colspan="2" rowspan="4">轴流排风风机(kN/台)</td><td>1.35</td><td>1550mm×1550mm</td></tr>
<tr><td>1.05</td><td>1380mm×1380mm</td></tr>
<tr><td>0.80</td><td>1068mm×1068mm</td></tr>
<tr><td>0.40</td><td>750mm×750mm</td></tr>
<tr><td>11</td><td colspan="2">CO_2发生器(kN/台)</td><td>0.15</td><td>燃气式</td></tr>
</table>

续表 A

项次	名　称		自重	备　注
12	湿帘装置(kN/m)	湿帘	0.10	干态,100mm厚、1000mm高湿帘,其他规格按湿帘单位体积质量0.25kN/m^{3}增减
			0.20	湿态,100mm厚、1000mm高湿帘,其他规格按湿帘单位体积质量0.50kN/m^{3}增减
		湿帘框架	0.15	含湿帘上框架、下框架、喷水管、集水槽等
13	补光灯(kN/盏)		0.06	400W高压钠灯,含灯头、灯罩和变压器

附录B　温室常见作物的吊挂方式及吊挂荷载

B.1　温室常见作物的吊挂方式

B.1.1　作物荷载可通过不超过三级吊线的模式(图 B.1.1-1、图 B.1.1-2、图 B.1.1-3),传递到温室结构。

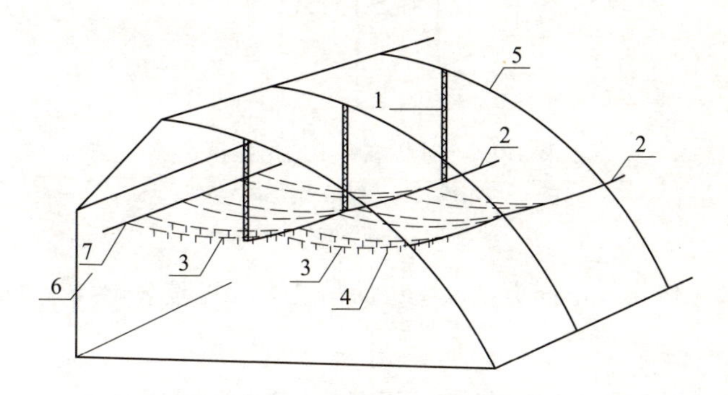

B.1.1-1　日光温室中的吊挂模式

1—一级吊线;2—二级吊线;3—三级吊线;4—吊蔓线;5—骨架

6—后墙;7—三级吊线在后墙上的固定点

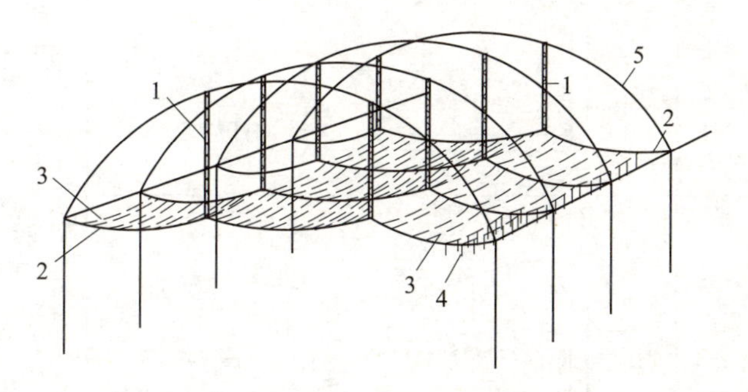

B.1.1-2　塑料大棚中的吊挂模式

1—一级吊线;2—二级吊线;3—三级吊线;4—吊蔓线;5—骨架

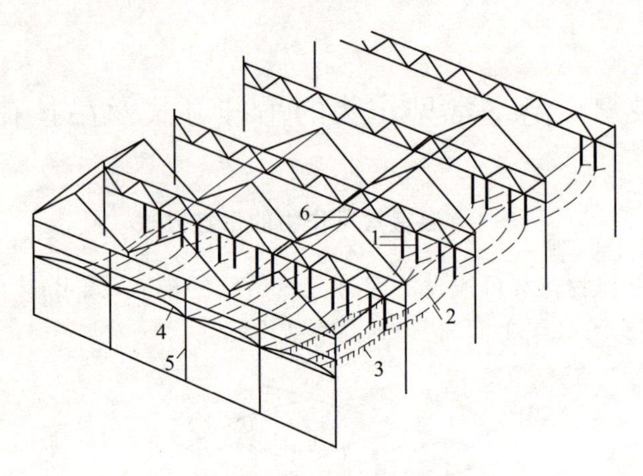

B. 1. 1-3　连栋温室中的吊挂模式

1—一级吊线；2—三级吊线；3—吊蔓线；

4—端部吊线梁；5—立柱；6—桁架

B. 1. 2　作物在不同类型温室中的吊挂方式可按表 B. 1. 2 的规定采用。

表 B. 1. 2　作物在不同类型温室中的吊挂方式

项次	类别	吊挂方式示意图	备注
1	日光温室2点式吊挂	f_3　h_1　l_3　h_2　l_2　f_2　日光温室纵向	h_1—三级吊线北墙（或立柱）固定点高度，h_1＝2.0m～2.4m；h_2—三级吊线南屋面固定点高度，h_2＝1.5m～1.8m；l_3—三级吊线相邻两支撑点之间距离；
2	日光温室3点式吊挂	f_3　h_1　l_3　h_2　l_2　f_2　日光温室纵向	

续表 B.1.2

项次	类别	吊挂方式示意图	备注
3	日光温室4点式吊挂	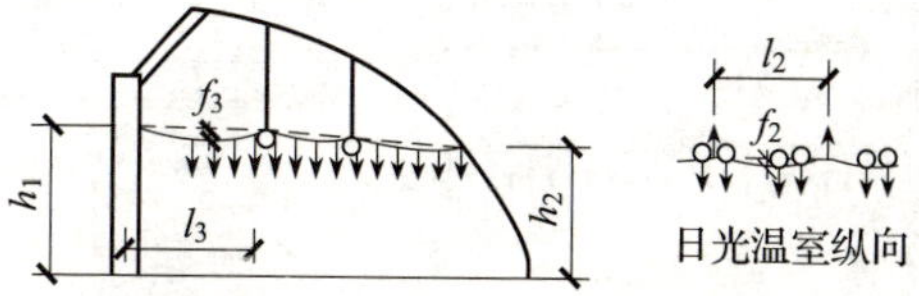 f_3 h_1 l_3 h_2 l_2 f_2 日光温室纵向	l_2—二级吊线相邻两支撑点之间距离； f_3—三级吊线下垂度； f_2—二级吊线下垂度
4	塑料大棚3点式吊挂	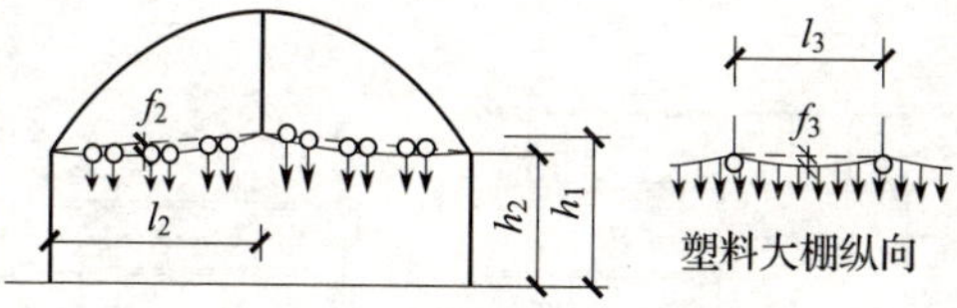 f_2 l_2 h_2 h_1 l_3 f_3 塑料大棚纵向	h_1—二级吊线中间固定点高度，h_1=2.0m～2.4m； h_2—二级吊线边墙固定点高度，h_2=1.5m～1.8m； l_3—三级吊线相邻两支撑点之间距离； l_2—二级吊线相邻两支撑点之间距离； f_3—三级吊线下垂度； f_2—二级吊线下垂度
5	塑料大棚4点式吊挂	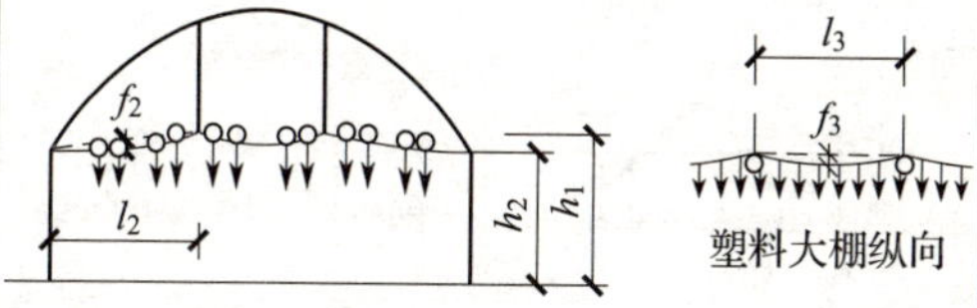 f_2 l_2 h_2 h_1 l_3 f_3 塑料大棚纵向	
6	塑料大棚5点式吊挂	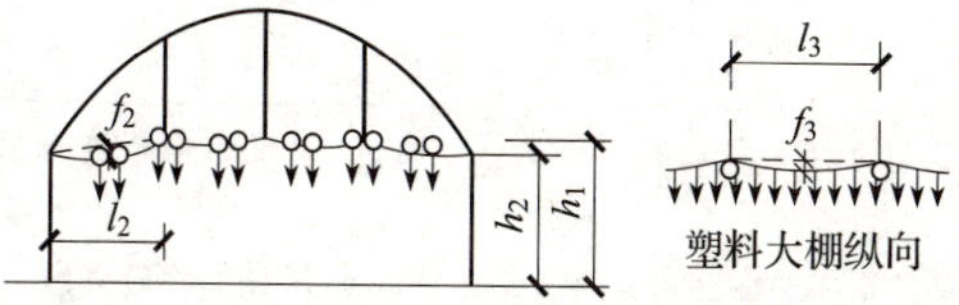 f_2 l_2 h_2 h_1 l_3 f_3 塑料大棚纵向	

续表 B.1.2

项次	类别	吊挂方式示意图	备注
7	连栋温室端墙＋横梁直接吊挂	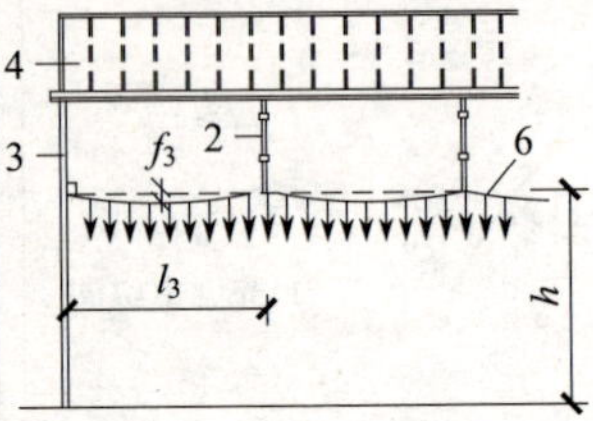 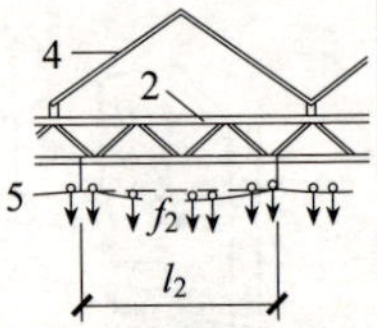 4；2；3；f_3；6；l_3；h；4；2；5；f_2；l_2；跨度方向	1—专用吊架；2—温室桁架；3—温室立柱；4—温室屋面；5—二级吊线；6—三级吊线；l_3—三级吊线相邻两支撑点之间距离；l_2—二级吊线相邻两支撑点之间距离；f_3—三级吊线下垂度；f_2—二级吊线下垂度；h—吊线固定点距地面高度，约为桁架下方 1.0m 处的高度
8	连栋温室专用吊架吊挂	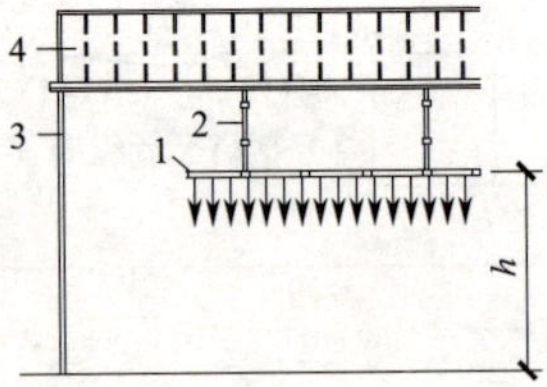 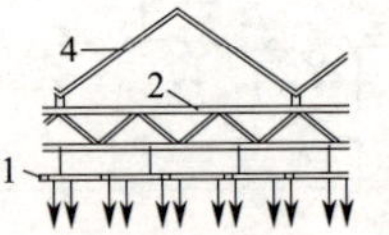 4；3；2；1；h；4；2；1；跨度方向	
9	连栋温室立柱直接吊挂	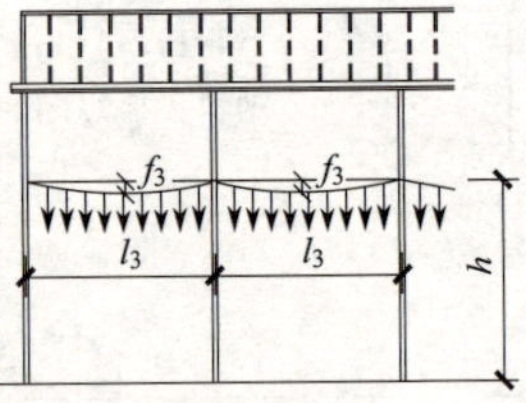 f_3；f_3；l_3；l_3；h；柔性吊挂；l_3；l_3；刚性吊挂 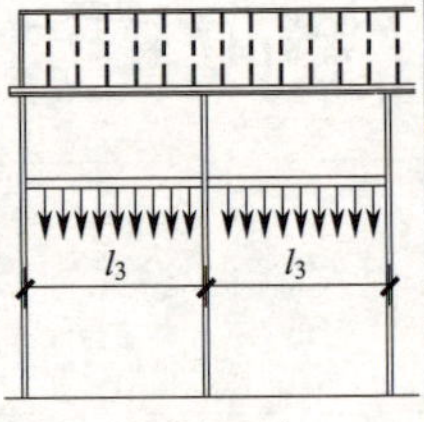	

注：1 纵向指日光温室和塑料大棚的长度方向，跨度方向指连栋温室与屋脊垂直的方向。

2 柔性吊挂指在立柱上固定钢绞线或钢丝等，吊挂作物后自然下垂；刚性吊挂指在立柱上固定钢管或其他可抗弯的吊挂杆件，吊挂作物后其弯曲变形可忽略。

B.2 吊线张力及对端部节点的作用

B.2.1 二级吊线和三级吊线端部对结构的作用应按下列公式计算：

$$H = \frac{ql^2}{8f} \tag{B.2.1-1}$$

$$N = \frac{ql}{2} \tag{B.2.1-2}$$

式中：H——水平方向分力(kN)；

N——竖直方向分力(kN)；

f——吊线的下垂度(m)，可取吊线相邻两支撑点之间距离 l 的 1/20～1/30；

q——作物荷载(kN/m)；

l——吊线相邻两支撑点之间的距离(m)。

B.2.2 三级吊线张力计算应符合下列规定：

1 两边等高时，应按下式计算：

$$T = H\sqrt{1 + 16\frac{f^2}{l^2}} \tag{B.2.2-1}$$

2 两边不等高时，应按下式计算：

$$T = H\sqrt{1 + \left(\frac{4f}{l} + \frac{c}{l}\right)^2} \tag{B.2.2-2}$$

式中：T——吊线张力(kN)；

H——按本规范第 B.2.1 条计算的吊线端部对结构作用的水平方向分力(kN)；

f——吊线下垂度(m)，可取吊线相邻两支撑点之间距离 l 的 1/20～1/30；

l——吊线相邻两支撑点之间的距离(m)；

c——吊线两端固定点之间高差(m)。

B.2.3 二级吊线张力可将作用其上的三级吊线荷载等效转化为均布荷载，替代作物荷载后按本规范第 B.2.2 条的规定计算。

B.2.4 一级吊线的张力应按其作用范围内全部作物的吊挂重量计算。

附录C　温室结构设计用全国各地基本雪压值

表C　温室结构设计用全国各地基本雪压值

省份	地区	雪压(kN/m²)		
		$R=10$	$R=15$	$R=20$
北京	北京市	0.25	0.29	0.31
天津	天津市	0.25	0.29	0.31
	塘沽	0.20	0.24	0.26
上海	上海市	0.10	0.13	0.15
重庆	奉节	0.20	0.24	0.26
	金佛山	0.35	0.39	0.43
河北	石家庄市	0.20	0.23	0.25
	蔚县	0.20	0.23	0.25
	邢台市	0.25	0.28	0.30
	丰宁	0.15	0.18	0.20
	围场	0.20	0.23	0.25
	张家口市	0.15	0.18	0.20
	怀来	0.15	0.17	0.18
	承德市	0.20	0.23	0.25
	遵化	0.25	0.29	0.33
	青龙	0.25	0.29	0.31
	秦皇岛市	0.15	0.18	0.20
	霸州	0.20	0.23	0.25
	唐山市	0.20	0.24	0.26
	乐亭	0.25	0.29	0.31
	保定市	0.20	0.24	0.26
	饶阳	0.20	0.23	0.25
	沧州市	0.20	0.23	0.25
河北	黄骅	0.20	0.23	0.25
	南宫市	0.15	0.18	0.20
山西	太原市	0.25	0.28	0.30
	右玉	0.20	0.23	0.25
	大同市	0.15	0.18	0.20
	河曲	0.20	0.23	0.25
	五寨	0.20	0.22	0.23
	兴县	0.20	0.22	0.23
	原平	0.20	0.23	0.25
	离石	0.20	0.23	0.25
	阳泉市	0.20	0.24	0.26
	榆社	0.20	0.23	0.25
	隰县	0.20	0.23	0.25
	介休	0.20	0.23	0.25
	临汾市	0.15	0.18	0.20
	运城市	0.15	0.18	0.20
	阳城	0.20	0.23	0.25
内蒙古	呼和浩特市	0.25	0.29	0.31
	额尔古纳市 拉布达林	0.35	0.38	0.40
	牙克石市 图里河镇	0.40	0.45	0.49
	满洲里市	0.20	0.23	0.25

续表 C

省份	地区	雪压(kN/m²)			省份	地区	雪压(kN/m²)		
		$R=10$	$R=15$	$R=20$			$R=10$	$R=15$	$R=20$
内蒙古	海拉尔区	0.35	0.38	0.40	内蒙古	阿巴嘎旗	0.30	0.34	0.36
	鄂伦春旗小二沟	0.35	0.39	0.41		苏尼特左旗	0.25	0.28	0.30
	新巴尔虎右旗	0.25	0.29	0.31		乌拉特后旗海力素	0.10	0.12	0.13
	新巴尔虎左旗阿木古郎	0.25	0.28	0.30		苏尼特右旗朱日和镇	0.15	0.17	0.18
	牙克石市博克图镇	0.35	0.40	0.44		乌拉特中旗海流图镇	0.20	0.23	0.25
	扎兰屯市	0.35	0.40	0.44		达茂旗百灵庙镇	0.25	0.28	0.30
	阿尔山市	0.45	0.49	0.53					
	科右翼前旗索伦	0.25	0.28	0.30		四子王旗	0.30	0.34	0.38
						化德	0.15	0.18	0.20
	乌兰浩特市	0.20	0.23	0.25		杭锦后旗陕坝镇	0.15	0.17	0.18
	东乌珠穆沁旗	0.20	0.23	0.25		包头市	0.15	0.18	0.20
						集宁	0.25	0.28	0.30
	额济纳旗	0.05	0.07	0.08		阿拉善左旗吉兰泰镇	0.05	0.07	0.08
	额济纳旗拐子湖	0.05	0.06	0.07					
						临河	0.15	0.18	0.20
	阿左旗敖伦布拉格镇	0.10	0.12	0.13		鄂托克旗	0.15	0.16	0.17
						东胜	0.25	0.28	0.30
	阿拉善右旗	0.05	0.06	0.07		伊金霍洛旗阿腾席热镇	0.20	0.23	0.25
	二连浩特市	0.15	0.18	0.20					
	那仁宝力格	0.20	0.23	0.25		阿拉善左旗巴彦浩特镇	0.15	0.17	0.18
	达茂旗满都拉镇	0.15	0.17	0.18		西乌珠穆沁旗	0.30	0.33	0.35

续表 C

省份	地区	雪压(kN/m²)			省份	地区	雪压(kN/m²)		
		$R=10$	$R=15$	$R=20$			$R=10$	$R=15$	$R=20$
内蒙古	扎鲁特旗鲁北镇	0.20	0.23	0.25	辽宁	桓仁	0.35	0.39	0.41
						绥中	0.25	0.28	0.30
	巴林左旗林东镇	0.20	0.23	0.25		兴城市	0.20	0.23	0.25
						营口市	0.30	0.33	0.35
	锡林浩特市	0.20	0.24	0.28		盖州市熊岳镇	0.25	0.29	0.31
	林西	0.25	0.29	0.31		本溪县草河口镇	0.35	0.39	0.43
	开鲁	0.20	0.23	0.25					
	通辽市	0.20	0.23	0.25		岫岩	0.35	0.39	0.41
	多伦	0.20	0.23	0.25		宽甸	0.40	0.45	0.49
	翁牛特旗乌丹镇	0.20	0.23	0.25		丹东市	0.30	0.33	0.35
						瓦房店市	0.20	0.23	0.25
	赤峰市	0.20	0.23	0.25		普兰店市皮口镇	0.20	0.23	0.25
	敖汉旗兴隆洼镇	0.25	0.29	0.31					
						庄河	0.25	0.28	0.30
辽宁	沈阳市	0.30	0.34	0.38		大连市	0.25	0.29	0.31
	彰武	0.20	0.23	0.25	吉林	长春市	0.30	0.34	0.36
	阜新市	0.25	0.29	0.31		白城市	0.15	0.17	0.18
	开原	0.35	0.39	0.41		乾安	0.15	0.17	0.18
	清原	0.45	0.51	0.56		前郭尔罗斯	0.15	0.18	0.20
	朝阳市	0.30	0.34	0.38					
	建平县叶柏寿	0.25	0.28	0.30		通榆	0.15	0.18	0.20
						长岭	0.15	0.17	0.18
	黑山	0.30	0.34	0.36		扶余市三岔河镇	0.25	0.28	0.30
	锦州市	0.30	0.33	0.35					
	鞍山市	0.30	0.34	0.38		双辽	0.20	0.23	0.25
	本溪市	0.40	0.44	0.46		四平市	0.20	0.24	0.26
	抚顺市章党镇	0.35	0.38	0.40		磐石市烟筒山镇	0.25	0.29	0.31

续表 C

省份	地区	雪压(kN/m²)			省份	地区	雪压(kN/m²)		
		$R=10$	$R=15$	$R=20$			$R=10$	$R=15$	$R=20$
吉林	吉林市	0.30	0.34	0.36	黑龙江	鹤岗市	0.45	0.49	0.53
吉林	蛟河	0.50	0.56	0.61	黑龙江	富锦	0.40	0.44	0.46
吉林	敦化市	0.30	0.35	0.39	黑龙江	泰来	0.20	0.23	0.25
吉林	梅河口市	0.30	0.34	0.36	黑龙江	绥化市	0.35	0.39	0.43
吉林	桦甸	0.40	0.46	0.51	黑龙江	安达市	0.20	0.23	0.25
吉林	靖宇	0.40	0.45	0.49	黑龙江	铁力	0.50	0.56	0.61
吉林	抚松县东岗镇	0.80	0.89	0.95	黑龙江	佳木斯市	0.60	0.66	0.71
					黑龙江	依兰	0.30	0.34	0.36
吉林	延吉市	0.35	0.40	0.44	黑龙江	宝清	0.55	0.63	0.69
吉林	通化市	0.50	0.57	0.62	黑龙江	通河	0.50	0.56	0.61
吉林	临江	0.45	0.51	0.56	黑龙江	尚志	0.40	0.44	0.46
吉林	集安市	0.45	0.51	0.56	黑龙江	鸡西市	0.45	0.50	0.54
吉林	长白	0.40	0.45	0.49	黑龙江	虎林	0.95	1.06	1.15
黑龙江	哈尔滨市	0.30	0.34	0.36	黑龙江	牡丹江市	0.50	0.56	0.61
黑龙江	漠河	0.60	0.64	0.68	黑龙江	绥芬河市	0.60	0.64	0.68
黑龙江	塔河	0.50	0.54	0.58	山东	济南市	0.20	0.23	0.25
黑龙江	新林	0.50	0.54	0.58	山东	德州市	0.20	0.24	0.26
黑龙江	呼玛	0.45	0.49	0.53	山东	惠民	0.25	0.28	0.30
黑龙江	加格达奇	0.45	0.49	0.53	山东	寿光市羊口镇	0.15	0.18	0.20
黑龙江	黑河市	0.60	0.64	0.68					
黑龙江	嫩江	0.40	0.44	0.46	山东	龙口市	0.25	0.28	0.30
黑龙江	孙吴	0.45	0.49	0.53	山东	烟台市	0.30	0.33	0.35
黑龙江	北安市	0.40	0.44	0.46	山东	威海市	0.30	0.35	0.39
黑龙江	克山	0.30	0.34	0.38	山东	荣成市成山头	0.25	0.29	0.31
黑龙江	富裕	0.25	0.28	0.30					
黑龙江	齐齐哈尔市	0.25	0.29	0.31	山东	莘县朝城镇	0.25	0.28	0.30
黑龙江	海伦	0.30	0.33	0.35	山东	泰安市泰山	0.40	0.44	0.46
黑龙江	明水	0.25	0.29	0.31					
黑龙江	伊春市	0.50	0.54	0.58	山东	泰安市	0.20	0.24	0.26

续表 C

省份	地区	雪压(kN/m²)		
		$R=10$	$R=15$	$R=20$
山东	淄博市张店	0.30	0.34	0.36
	沂源	0.20	0.23	0.25
	潍坊市	0.25	0.28	0.30
	莱阳市	0.15	0.18	0.20
	青岛市	0.15	0.17	0.18
	海阳	0.10	0.11	0.12
	荣成市石岛	0.10	0.11	0.12
	菏泽市	0.20	0.23	0.25
	兖州	0.25	0.29	0.31
	莒县	0.20	0.24	0.26
	临沂市	0.25	0.29	0.31
江苏	南京市	0.40	0.46	0.51
	徐州市	0.25	0.28	0.30
	赣榆	0.25	0.28	0.30
	盱眙	0.20	0.23	0.25
	淮安市	0.25	0.29	0.31
	射阳	0.15	0.17	0.18
	镇江市	0.25	0.28	0.30
	无锡市	0.30	0.33	0.35
	泰州市	0.25	0.28	0.30
	连云港市	0.25	0.29	0.31
	盐城市	0.20	0.24	0.26
	高邮	0.20	0.24	0.26
	东台市	0.20	0.23	0.25
	南通市	0.15	0.18	0.20
	启东市吕四港镇	0.10	0.13	0.15
江苏	常州市	0.20	0.24	0.26
	溧阳	0.30	0.34	0.38
	吴中区东山镇	0.25	0.29	0.31
浙江	杭州市	0.30	0.34	0.36
	临安市天目山	1.00	1.15	1.26
	平湖市乍浦镇	0.25	0.28	0.30
	慈溪市	0.25	0.28	0.30
	舟山市	0.30	0.35	0.39
	金华市	0.35	0.40	0.44
	嵊州	0.35	0.40	0.44
	宁波市	0.20	0.23	0.25
	象山县石浦镇	0.20	0.23	0.25
	衢州市	0.30	0.35	0.39
	丽水市	0.30	0.34	0.36
	龙泉	0.35	0.40	0.44
	临海市括苍山	0.45	0.50	0.54
	温州市	0.25	0.28	0.30
	椒江区洪家	0.20	0.23	0.25
	椒江区下大陈	0.25	0.28	0.30
	玉环县坎门镇	0.20	0.24	0.26
安徽	合肥市	0.40	0.45	0.49

续表 C

省份	地区	雪压(kN/m²)		
		$R=10$	$R=15$	$R=20$
安徽	砀山	0.25	0.29	0.31
	亳州市	0.25	0.29	0.31
	宿州市	0.25	0.29	0.31
	寿县	0.30	0.34	0.38
	蚌埠市	0.30	0.34	0.38
	滁州市	0.30	0.35	0.39
	六安市	0.35	0.39	0.43
	霍山	0.45	0.50	0.54
	巢湖	0.30	0.34	0.36
	安庆市	0.20	0.24	0.26
	宁国	0.30	0.34	0.38
	黄山	0.35	0.38	0.40
	黄山市	0.30	0.34	0.36
	阜阳市	0.35	0.39	0.43
江西	南昌市	0.30	0.34	0.36
	修水	0.25	0.29	0.33
	宜春市	0.25	0.29	0.31
	吉安市	0.25	0.29	0.31
	井冈山市	0.30	0.34	0.36
	遂川	0.30	0.34	0.38
	赣州市	0.20	0.24	0.26
	九江市	0.30	0.33	0.35
	庐山	0.60	0.68	0.74
	鄱阳	0.35	0.41	0.46
	景德镇市	0.25	0.28	0.30
	樟树市	0.25	0.29	0.31
	贵溪	0.35	0.39	0.43
	玉山	0.35	0.40	0.44
	南城	0.20	0.24	0.26

省份	地区	雪压(kN/m²)		
		$R=10$	$R=15$	$R=20$
江西	广昌	0.30	0.34	0.36
福建	邵武市	0.25	0.28	0.30
	武夷山市	0.40	0.45	0.49
	浦城	0.35	0.40	0.44
	建阳	0.35	0.39	0.41
	建瓯	0.25	0.28	0.30
	泰宁	0.30	0.35	0.39
	长汀	0.15	0.18	0.20
	德化县九仙山	0.25	0.29	0.33
	屏南	0.25	0.29	0.33
陕西	西安市	0.20	0.22	0.23
	榆林市	0.20	0.22	0.23
	吴起	0.15	0.16	0.17
	横山	0.15	0.18	0.20
	绥德	0.20	0.24	0.26
	延安市	0.15	0.18	0.20
	长武	0.20	0.23	0.25
	洛川	0.25	0.28	0.30
	铜川市	0.15	0.17	0.18
	宝鸡市	0.15	0.17	0.18
	武功	0.20	0.22	0.23
	华阴市华山	0.50	0.54	0.58
	略阳	0.10	0.11	0.12
	汉中市	0.15	0.17	0.18
	佛坪	0.15	0.18	0.20
	商洛市	0.20	0.23	0.25
	镇安	0.20	0.23	0.25

续表 C

省份	地区	雪压(kN/m²)			省份	地区	雪压(kN/m²)		
		R=10	R=15	R=20			R=10	R=15	R=20
陕西	石泉	0.20	0.23	0.25	甘肃	金塔县鼎新镇	0.05	0.07	0.08
	安康市	0.10	0.12	0.13		高台	0.10	0.12	0.13
甘肃	兰州市	0.10	0.12	0.13		山丹	0.15	0.17	0.18
	瓜州	0.10	0.13	0.15		永昌	0.10	0.12	0.13
	酒泉市	0.20	0.23	0.25		榆中	0.15	0.17	0.18
	张掖市	0.05	0.07	0.08		会宁	0.20	0.23	0.25
	武威市	0.15	0.17	0.18		岷县	0.10	0.12	0.13
	民勤	0.05	0.06	0.07	宁夏	银川市	0.15	0.17	0.18
	天祝县乌鞘岭	0.35	0.39	0.43		惠农	0.05	0.06	0.07
	景泰	0.10	0.12	0.13		平罗县陶乐镇	0.05	0.06	0.07
	靖远	0.15	0.17	0.18		中卫市	0.05	0.07	0.08
	临夏市	0.15	0.18	0.20		中宁	0.10	0.12	0.13
	临洮	0.30	0.34	0.38		盐池	0.20	0.23	0.25
	通渭县华家岭	0.25	0.29	0.31		海原	0.25	0.29	0.31
	环县	0.15	0.18	0.20		同心	0.10	0.11	0.12
	平凉市	0.15	0.18	0.20		固原市	0.30	0.33	0.35
	肃州区西峰镇	0.25	0.29	0.31		西吉	0.15	0.16	0.17
	玛曲	0.15	0.17	0.18	青海	西宁市	0.15	0.17	0.18
	夏河县	0.25	0.29	0.31		茫崖	0.05	0.06	0.07
	武都	0.05	0.07	0.08		冷湖	0.05	0.06	0.07
	天水市	0.15	0.17	0.18		祁连县托勒	0.20	0.22	0.23
	肃北县马鬃山	0.10	0.12	0.13		祁连县野牛沟乡	0.15	0.16	0.17
	敦煌	0.10	0.12	0.13		祁连县	0.10	0.11	0.12
	玉门市	0.15	0.17	0.18		格尔木市小灶火	0.05	0.06	0.07

续表 C

省份	地区	雪压(kN/m^2)		
		R=10	R=15	R=20
青海	大柴旦	0.10	0.11	0.12
	德令哈市	0.10	0.12	0.13
	刚察	0.20	0.22	0.23
	门源	0.20	0.22	0.23
	都兰县宗加镇	0.05	0.06	0.07
	都兰	0.20	0.22	0.23
	乌兰县茶卡镇	0.15	0.17	0.18
	共和县恰卜恰镇	0.10	0.12	0.13
	贵德	0.05	0.06	0.07
	民和	0.10	0.11	0.12
	唐古拉山五道梁	0.20	0.22	0.23
	兴海	0.15	0.16	0.17
	同德	0.20	0.23	0.25
	泽库	0.20	0.24	0.28
	格尔木市托托河	0.25	0.28	0.30
	治多	0.15	0.17	0.18
	杂多	0.20	0.22	0.23
	曲麻莱	0.15	0.18	0.20
	玉树市	0.15	0.17	0.18
	玛多	0.25	0.28	0.30
	称多县清水河镇	0.25	0.27	0.28
	玛沁县	0.20	0.23	0.25
青海	达日县吉迈镇	0.20	0.22	0.23
	河南	0.20	0.22	0.23
	久治	0.20	0.22	0.23
	囊谦	0.10	0.13	0.15
	班玛	0.15	0.17	0.18
新疆	乌鲁木齐市	0.65	0.71	0.76
	阿勒泰市	1.20	1.31	1.40
	阿拉山口	0.20	0.21	0.22
	克拉玛依市	0.20	0.23	0.25
	伊宁市	1.00	1.10	1.17
	昭苏	0.65	0.70	0.74
	达坂城	0.15	0.16	0.17
	巴音布鲁克	0.55	0.60	0.64
	吐鲁番市	0.15	0.17	0.18
	阿克苏市	0.15	0.18	0.20
	库车	0.15	0.18	0.20
	库尔勒	0.15	0.18	0.20
	乌恰	0.35	0.39	0.43
	喀什	0.30	0.34	0.36
	阿合奇	0.25	0.28	0.30
	皮山	0.15	0.17	0.18
	和田	0.10	0.13	0.15
	民丰	0.10	0.11	0.12
	安德河	0.05	0.05	0.05
	于田	0.10	0.11	0.12
	哈密市	0.15	0.18	0.20
	哈巴河	0.75	0.82	0.87
	吉木乃	0.85	0.94	1.00

续表 C

省份	地区	雪压(kN/m²)		
		R=10	R=15	R=20
新疆	福海	0.30	0.34	0.36
	富蕴	0.95	1.05	1.12
	塔城	1.10	1.21	1.30
	和布克赛尔	0.25	0.29	0.31
	青河	0.90	1.00	1.07
	托里	0.55	0.60	0.64
	奇台县北塔山	0.55	0.58	0.60
	温泉	0.35	0.38	0.40
	精河	0.20	0.23	0.25
	乌苏	0.40	0.44	0.46
	石河子市	0.50	0.55	0.59
	五家梁市蔡家湖镇	0.40	0.43	0.45
	奇台县	0.55	0.60	0.64
	和静县巴仑台镇	0.20	0.23	0.25
	哈密市七角井镇	0.05	0.07	0.08
	托克逊县库米什镇	0.10	0.11	0.12
	焉耆	0.15	0.17	0.18
	拜城	0.20	0.23	0.25
	轮台	0.15	0.18	0.20
	吐尔尕特	0.40	0.44	0.48
	巴楚	0.10	0.12	0.13
	柯坪	0.05	0.07	0.08
	阿拉尔市	0.05	0.06	0.07
新疆	若羌县铁干里克镇	0.10	0.11	0.12
	若羌	0.10	0.12	0.13
	塔什库尔干塔吉克	0.15	0.18	0.20
	莎车	0.15	0.17	0.18
	且末	0.10	0.12	0.13
	吐鲁番市红柳河	0.10	0.11	0.12
河南	郑州市	0.25	0.29	0.31
	安阳市	0.25	0.29	0.31
	新乡市	0.20	0.23	0.25
	三门峡市	0.15	0.17	0.18
	卢氏	0.20	0.23	0.25
	孟津	0.30	0.34	0.36
	洛阳市	0.25	0.28	0.30
	栾川	0.25	0.29	0.31
	许昌市	0.25	0.29	0.31
	开封市	0.20	0.23	0.25
	西峡	0.20	0.23	0.25
	南阳市	0.30	0.34	0.36
	宝丰	0.20	0.23	0.25
	西华	0.30	0.34	0.36
	驻马店市	0.30	0.34	0.36
	信阳市	0.35	0.40	0.44
	商丘市	0.30	0.34	0.36
	固始	0.35	0.40	0.44
湖北	武汉市	0.30	0.35	0.39
	郧阳	0.25	0.29	0.31

续表 C

省份	地区	雪压(kN/m²)		
		R=10	R=15	R=20
湖北	房县	0.20	0.23	0.25
	老河口市	0.25	0.28	0.30
	枣阳	0.25	0.29	0.31
	巴东	0.15	0.17	0.18
	钟祥	0.25	0.28	0.30
	麻城市	0.35	0.40	0.44
	恩施市	0.15	0.17	0.18
	巴东县绿葱坡镇	0.65	0.73	0.79
	五峰县	0.25	0.28	0.30
	宜昌市	0.20	0.23	0.25
	荆州市	0.25	0.29	0.31
	天门市	0.25	0.29	0.31
	来凤	0.15	0.17	0.18
	嘉鱼	0.25	0.28	0.30
	英山	0.25	0.29	0.31
	黄石市	0.25	0.28	0.30
湖南	长沙市	0.30	0.34	0.36
	桑植	0.25	0.28	0.30
	石门	0.25	0.28	0.30
	南县	0.30	0.34	0.36
	岳阳市	0.35	0.40	0.44
	吉首市	0.20	0.23	0.25
	沅陵	0.20	0.24	0.26
	常德市	0.30	0.35	0.39
	安化	0.30	0.34	0.36
	沅江市	0.35	0.40	0.44
	平江	0.25	0.29	0.31
湖南	芷江	0.25	0.29	0.31
	雪峰山	0.50	0.56	0.61
	邵阳市	0.20	0.23	0.25
	双峰	0.25	0.29	0.31
	南岳	0.50	0.56	0.61
	通道	0.15	0.18	0.20
	武冈	0.20	0.23	0.25
	零陵	0.15	0.18	0.20
	衡阳市	0.20	0.24	0.26
	道县	0.15	0.17	0.18
	郴州市	0.20	0.23	0.25
四川	成都市	0.10	0.11	0.12
	石渠	0.35	0.39	0.43
	若尔盖	0.30	0.33	0.35
	甘孜	0.30	0.34	0.38
	都江堰市	0.15	0.18	0.20
	雅安市	0.10	0.12	0.13
	康定	0.30	0.34	0.38
	九龙	0.15	0.16	0.17
	越西	0.15	0.18	0.20
	昭觉	0.25	0.28	0.30
	雷波	0.20	0.23	0.25
	盐源	0.20	0.23	0.25
	西昌市	0.20	0.23	0.25
	万源	0.05	0.07	0.08
	德格	0.15	0.17	0.18
	色达	0.30	0.33	0.35
	道孚	0.15	0.17	0.18

续表 C

省份	地区	雪压(kN/m²)		
		R=10	R=15	R=20
四川	阿坝	0.25	0.29	0.31
	马尔康	0.15	0.18	0.20
	红原	0.25	0.29	0.31
	小金	0.10	0.11	0.12
	松潘	0.20	0.23	0.25
	新龙	0.10	0.11	0.12
	理塘	0.35	0.39	0.43
	稻城	0.20	0.22	0.23
	峨眉山	0.40	0.44	0.46
贵州	贵阳市	0.10	0.13	0.15
	威宁	0.25	0.28	0.30
	盘县	0.25	0.29	0.31
	桐梓	0.10	0.12	0.13
	习水	0.15	0.17	0.18
	毕节市	0.15	0.18	0.20
	遵义市	0.10	0.12	0.13
	湄潭	0.15	0.17	0.18
	思南	0.10	0.13	0.15
	铜仁市	0.20	0.23	0.25
	黔西	0.15	0.17	0.18
	安顺市	0.20	0.23	0.25
	凯里市	0.15	0.17	0.18
	三穗	0.20	0.23	0.25
	兴仁	0.20	0.24	0.26
	独山	0.20	0.23	0.25
	榕江	0.10	0.12	0.13

省份	地区	雪压(kN/m²)		
		R=10	R=15	R=20
云南	昆明市	0.20	0.23	0.25
	德钦	0.60	0.68	0.74
	贡山	0.45	0.53	0.59
	中甸	0.50	0.57	0.62
	维西	0.45	0.50	0.54
	昭通市	0.15	0.18	0.20
	丽江市	0.20	0.23	0.25
	会泽	0.25	0.28	0.30
	沾益	0.25	0.29	0.31
西藏	拉萨市	0.10	0.12	0.13
	班戈	0.20	0.22	0.23
	安多	0.25	0.29	0.31
	那曲	0.30	0.33	0.35
	日喀则市	0.10	0.11	0.12
	山南市泽当镇	0.10	0.11	0.12
	隆子	0.10	0.12	0.13
	索县	0.20	0.22	0.23
	昌都市	0.15	0.16	0.17
	林芝市	0.10	0.11	0.12
	噶尔	0.10	0.11	0.12
	改则	0.20	0.23	0.25
	普兰	0.50	0.55	0.59
	申扎	0.15	0.16	0.17
	当雄	0.30	0.34	0.36

续表 C

省份	地区	雪压(kN/m²)			省份	地区	雪压(kN/m²)		
		$R=10$	$R=15$	$R=20$			$R=10$	$R=15$	$R=20$
西藏	尼木	0.15	0.17	0.18	西藏	亚东县帕里镇	0.95	1.09	1.19
	聂拉木	2.00	2.31	2.53					
	定日	0.15	0.18	0.20		丁青	0.25	0.28	0.30
	江孜	0.10	0.11	0.12		波密	0.25	0.28	0.30
	错那	0.60	0.67	0.72		察隅	0.35	0.40	0.44

附录D 温室结构设计用全国各地基本风压值

表D 温室结构设计用全国各地基本风压值

省份	地区	风压(kN/m^2)		
		$R=10$	$R=15$	$R=20$
北京	北京市	0.37	0.39	0.41
	密云	0.50	0.55	0.58
天津	塘沽	0.77	0.85	0.90
上海	龙华	0.51	0.56	0.60
重庆	沙坪坝	0.33	0.36	0.38
	涪陵	0.61	0.68	0.74
河北	张家口市	0.44	0.47	0.49
	保定市	0.65	0.73	0.78
	沧州市	0.63	0.69	0.74
山西	太原市	0.57	0.63	0.67
	榆社	0.45	0.48	0.50
	运城市	0.44	0.47	0.49
内蒙古	呼和浩特市	0.47	0.51	0.54
	苏尼特右旗朱日和镇	0.73	0.8	0.84
	锡林浩特市	0.43	0.45	0.47
	林西	0.65	0.7	0.74
辽宁	瓦房店市	0.56	0.6	0.62
	长海	0.45	0.47	0.49
	庄河	0.5	0.54	0.56
辽宁	大连市	0.65	0.71	0.75
吉林	长春市	0.49	0.55	0.58
	白城市	0.59	0.65	0.69
	乾安	0.47	0.51	0.54
	前郭尔罗斯	0.40	0.44	0.47
	通榆	0.57	0.65	0.69
	长岭	0.43	0.47	0.49
	扶余市三岔河镇	0.46	0.51	0.53
	双辽	0.50	0.55	0.58
	四平市	0.38	0.40	0.42
	永吉	0.34	0.38	0.39
	蛟河	0.35	0.38	0.39
	敦化市	0.35	0.40	0.42
	汪清	0.35	0.38	0.40
	磐石市	0.41	0.45	0.47
	桦甸	0.36	0.40	0.42
	靖宇	0.25	0.27	0.28
	抚松县东岗镇	0.31	0.35	0.37
	通化	0.31	0.35	0.36
	临江	0.25	0.27	0.29

续表 D

省份	地区	风压(kN/m²)			省份	地区	风压(kN/m²)		
		R=10	R=15	R=20			R=10	R=15	R=20
吉林	集安市	0.31	0.35	0.37	山东	淄博市	0.43	0.46	0.48
吉林	长白	0.36	0.41	0.41	山东	泰安市泰山	1.09	1.16	1.21
黑龙江	哈尔滨市	0.35	0.37	0.38	山东	泰安市	0.75	0.83	0.88
黑龙江	漠河	0.50	0.55	0.59	山东	沂源	0.47	0.51	0.54
黑龙江	孙吴	0.51	0.56	0.59	山东	潍坊市	0.43	0.45	0.47
黑龙江	富裕	0.38	0.41	0.42	山东	莱阳市	0.42	0.44	0.46
黑龙江	海伦	0.43	0.47	0.49	山东	青岛市	0.69	0.74	0.77
黑龙江	绥化市	0.43	0.46	0.48	山东	海阳	0.56	0.60	0.63
黑龙江	安达市	0.38	0.40	0.41	山东	荣成市石岛镇	0.49	0.52	0.54
黑龙江	佳木斯市	0.37	0.39	0.40	山东	菏泽市	0.43	0.46	0.49
黑龙江	肇州	0.48	0.52	0.54	山东	定陶	0.44	0.48	0.51
黑龙江	尚志	0.36	0.38	0.40	山东	兖州	0.44	0.48	0.51
黑龙江	鸡西市	0.58	0.63	0.67	山东	费县	0.40	0.44	0.46
山东	济南市	0.48	0.51	0.53	山东	莒县	0.34	0.37	0.39
山东	德州市	0.55	0.61	0.64	山东	日照市	0.44	0.47	0.49
山东	陵城	0.47	0.50	0.53	江苏	南京市	0.48	0.52	0.55
山东	惠民	0.48	0.53	0.55	江苏	赣榆	0.43	0.46	0.48
山东	东营市	0.74	0.81	0.86	江苏	射阳	0.59	0.64	0.67
山东	长岛	0.64	0.68	0.71	浙江	杭州市	0.52	0.58	0.62
山东	龙口市	0.42	0.45	0.47	浙江	平湖	0.57	0.62	0.66
山东	福山	0.41	0.44	0.46	浙江	慈溪市	0.61	0.68	0.72
山东	烟台市	0.78	0.85	0.89	浙江	嵊泗	1.15	1.25	1.32
山东	威海市	0.69	0.73	0.75	浙江	定海	0.63	0.69	0.73
山东	荣成市成山头	0.91	0.97	1.02	浙江	金华市	0.43	0.46	0.49
山东	莘县朝城镇	0.41	0.45	0.48	浙江	嵊州市	0.54	0.59	0.63

续表 D

省份	地区	风压(kN/m²)			省份	地区	风压(kN/m²)		
		R=10	R=15	R=20			R=10	R=15	R=20
浙江	宁波市	0.31	0.33	0.35	江西	南昌市	0.45	0.49	0.51
	象山县石浦镇	1.19	1.30	1.38		遂川	0.37	0.41	0.44
						九江市	0.61	0.68	0.73
	丽水市	0.45	0.49	0.52		景德镇市	0.42	0.46	0.49
	温州市	0.77	0.87	0.93	福建	福州市	0.82	0.90	0.95
	临海	0.51	0.58	0.62		建瓯	0.54	0.59	0.62
	椒江区洪家	0.59	0.66	0.71		上杭	0.27	0.29	0.30
						永安市	0.47	0.52	0.55
	椒江区大陈岛	1.54	1.72	1.85		崇武	0.68	0.74	0.78
						厦门市	0.99	1.10	1.18
	玉环	1.17	1.30	1.39	陕西	西安市	0.39	0.44	0.47
安徽	合肥市	0.38	0.41	0.43		定边	0.49	0.52	0.55
	砀山	0.37	0.40	0.42		绥德	0.59	0.63	0.66
	亳州市	0.44	0.48	0.51		延安市	0.25	0.25	0.25
	宿州市	0.36	0.39	0.42		长武	0.45	0.49	0.51
	阜阳市	0.40	0.44	0.46		武功	0.28	0.30	0.31
	寿县	0.44	0.48	0.51		华阴市华山	0.99	1.06	1.11
	蚌埠市	0.43	0.46	0.49					
	滁州市	0.33	0.35	0.37		汉中市	0.25	0.28	0.29
	六安市	0.29	0.32	0.34		佛坪	0.45	0.50	0.54
	霍山	0.29	0.32	0.33		商洛市	0.43	0.46	0.49
	桐城	0.57	0.61	0.64		石泉	0.47	0.52	0.55
	巢湖	0.32	0.34	0.35		安康市	0.39	0.43	0.46
	芜湖市	0.43	0.47	0.50	甘肃	兰州市	0.52	0.58	0.62
	安庆市	0.40	0.43	0.45		酒泉市	0.49	0.53	0.56
	宁国	0.54	0.60	0.64		张掖市	0.34	0.36	0.37
	黄山	0.81	0.87	0.90		武威市	0.35	0.38	0.39
	屯溪	0.45	0.50	0.54		民勤	0.52	0.56	0.59

续表 D

省份	地区	风压(kN/m²)			省份	地区	风压(kN/m²)		
		R=10	R=15	R=20			R=10	R=15	R=20
甘肃	榆中	0.45	0.49	0.52	青海	刚察	0.25	0.60	0.63
甘肃	肃州区西峰镇	0.28	0.29	0.30	青海	门源	0.25	0.49	0.52
甘肃					青海	格尔木市	0.28	0.39	0.41
甘肃	岷县	0.39	0.42	0.44	青海	都兰县宗加镇	0.29	0.40	0.42
宁夏	银川市	0.50	0.54	0.57	青海				
宁夏	惠农	0.76	0.82	0.86	青海	乌兰	0.25	0.33	0.34
宁夏	平罗县陶乐镇	0.43	0.46	0.49	青海	都兰	0.32	0.47	0.48
宁夏					青海	共和县恰卜恰镇	0.37	0.52	0.54
宁夏	中宁	0.47	0.50	0.52	青海				
宁夏	盐池	0.38	0.40	0.41	青海	贵德	0.25	0.33	0.34
宁夏	海原	0.56	0.60	0.62	青海	民和	0.34	0.44	0.47
宁夏	同心	0.44	0.46	0.48	青海	唐古拉山伍道梁	0.44	0.74	0.77
宁夏	固原市	0.37	0.39	0.41	青海				
宁夏	西吉	0.38	0.40	0.42	青海	兴海	0.40	0.59	0.62
青海	西宁市	0.25	0.30	0.31	青海	贵南	0.25	0.47	0.49
青海	茫崖	0.42	0.59	0.60	青海	同仁	0.28	0.39	0.41
青海	冷湖	0.43	0.59	0.61	青海	格尔木市托托河	0.43	0.71	0.73
青海	祁连县托勒	0.43	0.63	0.65	青海				
青海					青海	杂多	0.39	0.63	0.66
青海	祁连县野牛沟乡	0.36	0.91	0.96	青海	曲麻莱	0.34	0.55	0.57
青海					青海	玉树市	0.30	0.47	0.49
青海	祁连县	0.31	0.43	0.45	青海	玛多	0.34	0.55	0.57
青海	格尔木市小灶火	0.35	0.48	0.50	青海	称多县清水河镇	0.43	0.74	0.79
青海	大柴旦	0.28	0.40	0.41	青海	果洛	0.36	0.56	0.59
青海	德令哈市	0.25	0.35	0.37	青海	达日	0.39	0.61	0.64

续表 D

省份	地区	风压(kN/m^2)			省份	地区	风压(kN/m^2)		
		$R=10$	$R=15$	$R=20$			$R=10$	$R=15$	$R=20$
青海	河南	0.25	0.56	0.58	新疆	和田	0.28	0.29	0.31
	久治	0.32	0.48	0.49		民丰	0.32	0.35	0.36
	囊谦	0.25	0.35	0.36		于田	0.25	0.25	0.25
	班玛	0.25	0.64	0.68		哈密市	0.34	0.36	0.38
新疆	乌鲁木齐市	0.73	0.80	0.84	河南	郑州市	0.38	0.41	0.43
						安阳市	0.65	0.72	0.77
	阿勒泰市	0.65	0.72	0.77		新乡市	0.36	0.38	0.40
	塔城	0.47	0.50	0.52		三门峡市	0.29	0.31	0.32
	阿拉山口	0.99	1.04	1.07		卢氏	0.25	0.25	0.25
	克拉玛依市	0.89	0.94	0.98		孟津	0.44	0.47	0.49
						栾川	0.25	0.25	0.26
	乌苏	0.37	0.40	0.43		许昌市	0.41	0.44	0.46
	奇台	0.61	0.67	0.71		开封市	0.38	0.40	0.42
	伊宁市	0.43	0.46	0.48		西峡	0.39	0.42	0.44
	昭苏	0.36	0.38	0.39		南阳市	0.26	0.28	0.29
	达坂城	0.75	0.79	0.82		宝丰	0.47	0.51	0.53
	焉耆	0.34	0.36	0.37		西华	0.35	0.38	0.41
	阿克苏市	0.46	0.49	0.52		驻马店市	0.35	0.37	0.39
	库车	0.57	0.63	0.67		信阳市	0.42	0.45	0.47
	库尔勒	0.44	0.47	0.50		商丘市	0.31	0.33	0.35
	吐尔尕特	0.72	0.78	0.83		固始	0.32	0.35	0.37
	喀什市	0.47	0.51	0.54	湖北	武汉市	0.34	0.37	0.40
	巴楚	0.36	0.39	0.41		郧西	0.27	0.29	0.31
	若羌	0.58	0.63	0.67		房县	0.40	0.44	0.48
	莎车	0.31	0.33	0.33		老河口市	0.30	0.32	0.34
	皮山	0.29	0.30	0.32		枣阳	0.31	0.33	0.35

续表 D

省份	地区	风压(kN/m²)			省份	地区	风压(kN/m²)		
		$R=10$	$R=15$	$R=20$			$R=10$	$R=15$	$R=20$
湖北	巴东	0.48	0.54	0.58	湖南	零陵	0.35	0.38	0.40
	钟祥	0.37	0.40	0.42		衡阳市	0.33	0.35	0.37
	广水	0.38	0.41	0.43		常宁	0.38	0.40	0.43
	麻城市	0.30	0.32	0.33		道县	0.33	0.35	0.37
	恩施市	0.37	0.41	0.44		郴州市	0.25	0.28	0.29
	五峰县	0.30	0.33	0.35	广东	广州市	0.40	0.44	0.47
	宜昌市	0.27	0.29	0.31		南雄市	0.32	0.35	0.37
	荆州	0.32	0.34	0.36		连州市	0.33	0.36	0.39
	天门市	0.26	0.28	0.29		韶关市	0.31	0.34	0.35
	来凤	0.28	0.31	0.33		佛岗	0.35	0.38	0.41
	嘉鱼	0.25	0.26	0.27		连平	0.25	0.25	0.26
	英山	0.33	0.36	0.38		梅县	0.32	0.34	0.36
	黄石市	0.33	0.36	0.38		广宁	0.34	0.37	0.38
湖南	长沙市	0.39	0.43	0.46		高要	0.73	0.82	0.87
	岳阳市	0.49	0.53	0.56		东源	0.34	0.37	0.40
	吉首市	0.29	0.33	0.35		增城	0.40	0.44	0.46
	沅陵	0.27	0.29	0.30		惠阳	0.47	0.52	0.56
	常德市	0.29	0.31	0.33		五华	0.35	0.39	0.41
	沅江市	0.39	0.43	0.46		汕头市	0.66	0.73	0.78
	平江	0.56	0.63	0.68		惠来	0.71	0.79	0.85
	芷江	0.38	0.42	0.45		信宜	0.32	0.35	0.37
	邵阳市	0.28	0.30	0.32		罗定	0.37	0.40	0.43
	南岳	1.16	1.27	1.35		台山	0.57	0.63	0.68
	株洲市	0.25	0.26	0.27		深圳市	0.50	0.55	0.58
	通道	0.32	0.35	0.36		汕尾市	0.89	0.99	1.06
	武冈	0.25	0.25	0.25		湛江市	0.86	0.95	1.02

续表 D

省份	地区	风压(kN/m²)			省份	地区	风压(kN/m²)		
		$R=10$	$R=15$	$R=20$			$R=10$	$R=15$	$R=20$
广东	阳江市	1.15	1.30	1.41	海南	三亚市	1.03	1.19	1.30
	电白	1.06	1.20	1.30		陵水	0.80	0.91	0.98
	徐闻	0.62	0.69	0.74		西沙	1.21	1.36	1.47
广西	南宁市	0.44	0.50	0.53		珊瑚岛	0.80	0.89	0.96
	桂林市	0.47	0.52	0.55	四川	成都市	0.40	0.44	0.46
	河池市	0.30	0.32	0.34		绵阳市	0.41	0.46	0.49
	都安	0.41	0.44	0.47		乐山市	0.35	0.40	0.44
	柳州市	0.25	0.27	0.29		宜宾市	0.47	0.53	0.57
	百色市	0.39	0.43	0.46		广元市	0.45	0.49	0.51
	靖西	0.25	0.26	0.28		万源	0.42	0.45	0.48
	平果	0.27	0.30	0.33	贵州	贵阳市	0.47	0.52	0.55
	来宾市	0.27	0.30	0.32		威宁	0.46	0.50	0.52
	桂平	0.42	0.47	0.51		盘县	0.51	0.55	0.58
	梧州市	0.40	0.43	0.45		桐梓	0.43	0.47	0.50
	龙州	0.39	0.43	0.46		习水	0.26	0.28	0.29
	灵山	0.27	0.29	0.30		毕节市	0.42	0.47	0.49
	玉林市	0.49	0.55	0.59		遵义市	0.36	0.40	0.42
	东兴	0.54	0.60	0.65		湄潭	0.26	0.29	0.30
	防城港市	0.50	0.55	0.58		思南	0.27	0.29	0.31
	北海市	0.75	0.84	0.91		铜仁市	0.29	0.32	0.34
	涠洲岛	0.89	0.99	1.05		安顺市	0.55	0.61	0.65
海南	海口市	0.79	0.88	0.95		凯里市	0.27	0.30	0.32
	东方	0.86	0.96	1.02		三穗	0.26	0.28	0.30
	儋州市	0.40	0.45	0.48		兴义	0.61	0.67	0.71
	琼中	0.42	0.47	0.50		罗甸	0.44	0.49	0.52
	琼海	0.49	0.55	0.58		独山	0.25	0.27	0.28

续表 D

省份	地区	风压(kN/m²)			省份	地区	风压(kN/m²)		
		$R=10$	$R=15$	$R=20$			$R=10$	$R=15$	$R=20$
云南	昆明市	0.33	0.44	0.46	云南	泸西	0.40	0.53	0.56
	德钦	0.25	0.31	0.32		耿马	0.31	0.38	0.39
	贡山	0.26	0.34	0.37		临沧市	0.33	0.41	0.43
	中甸	0.25	0.35	0.36		澜沧	0.42	0.51	0.54
	维西	0.25	0.34	0.35		景洪市	0.26	0.30	0.31
	昭通市	0.25	0.26	0.26		思茅	0.25	0.26	0.26
	怒江州	0.26	0.52	0.55		元江	0.35	0.39	0.41
	丽江市	0.34	0.48	0.51		勐腊	0.63	0.79	0.88
	华坪	0.39	0.46	0.47		江城	0.25	0.30	0.32
	会泽	0.27	0.35	0.36		蒙自	0.25	0.25	0.25
	腾冲	0.25	0.25	0.25		屏边	0.32	0.40	0.43
	保山市	0.35	0.44	0.47		砚山	0.48	0.62	0.66
	大理市	0.84	1.09	1.14		广南	0.46	0.59	0.63
	元谋	0.41	0.49	0.51	西藏	拉萨市	0.44	0.48	0.50
	楚雄市	0.41	0.53	0.55		日喀则市	0.66	0.72	0.77
	沾益	0.35	0.44	0.46		山南市泽当镇	0.32	0.34	0.35
	瑞丽	0.32	0.40	0.43					
	景东	0.28	0.35	0.37		隆子	0.52	0.54	0.56
	玉溪市	0.32	0.41	0.42		昌都市	0.66	0.73	0.77

本规范用词说明

1 为便于在执行本规范条文时区别对待，对要求严格程度不同的用词说明如下：

1) 表示很严格，非这样做不可的：

正面词采用“必须”，反面词采用“严禁”；

2) 表示严格，在正常情况下均应这样做的：

正面词采用“应”，反面词采用“不应”或“不得”；

3) 表示允许稍有选择，在条件许可时首先应这样做的：

正面词采用“宜”，反面词采用“不宜”；

4) 表示有选择，在一定条件下可以这样做的，采用“可”。

2 条文中指明应按其他有关标准执行的写法为：“应符合……的规定”或“应按……执行”。

引用标准名录

《建筑结构荷载规范》GB 50009

《建筑抗震设计规范》GB 50011

《工程结构可靠性设计统一标准》GB 50153

中华人民共和国国家标准

农业温室结构荷载规范

GB/T 51183-2016

条 文 说 明

制 订 说 明

《农业温室结构荷载规范》GB/T 51183—2016，经住房城乡建设部2016年8月18日以第1262号公告批准发布。

本规范编制过程中，编制组对温室结构设计中涉及的作物荷载进行了专题调查研究，并通过统计分析的方法提出了设计标准值；总结了我国工程建设的实践经验，同时参考了日本的《园艺设施结构安全标准》、美国温室制造业协会的《结构设计手册》、欧盟的《温室设计与建造　第1部分：商业化生产温室》（Greenhouses-Design and construction-Part 1：Commercial production greenhouses）（EN 13031—1：2001）等国外先进技术法规、技术标准。

为便于广大施工、监理、设计、科研、学校等单位有关人员在使用本规范时能正确理解和执行条文规定，《农业温室结构荷载规范》编制组按章、节、条顺序编制了本规范的条文说明，对条文规定的目的、依据以及执行中需注意的有关事项进行了说明。但是，本条文说明不具备与标准正文同等的法律效力，仅供使用者作为理解和把握标准规定的参考。

目　　次

1 总　　则

1.0.1 制定本规范的目的首先是要保证农业温室结构设计的安全可靠，同时兼顾经济合理。

1.0.2 本规范适用于农业种植温室主体结构及围护结构的设计，也适用于食用菌种植、畜牧养殖、水产养殖用温室的结构设计。销售、餐饮、观光等商业用途的温室不在本规范适用范围。

1.0.3 结构上的作用是指能使结构产生效应（结构或构件的内力、应力、位移、应变、裂缝等）的各种原因的总称。直接作用是指作用在结构上的力集（包括集中力和分布力），习惯上统称为荷载，如永久荷载、活荷载、雪荷载、风荷载、作物荷载等。间接作用是指那些不是直接以力集的形式出现的作用，如地基变形、混凝土收缩和焊缝变形、温度变化以及地震等引起的作用等。

本规范仅对作用在温室结构上的直接作用即荷载作出规定；对间接作用中的温度作用和地震作用可按照现行国家标准《建筑结构荷载规范》GB 50009 和《建筑抗震设计规范》GB 50011 的有关规定执行；而对其他间接作用，目前尚不具备条件列入本规范。尽管在本规范中没有给出这些间接作用的规定，但在设计中仍应根据实际可能出现的情况加以考虑。

2 术语和符号

本章所用的术语和符号是参照国家现行标准《温室园艺工程术语》GB/T 23393、《建筑结构荷载规范》GB 50009、《温室钢结构安装验收规范》NY/T 1832 的有关规定编写的，并根据需要增加了一些内容。

2.1 术 语

本规范给出了 7 个有关温室方面的专用术语，并从温室结构设计荷载的角度赋予其特定的含义，但不一定是其严密的定义。本规范给出了相应的推荐性英文术语，但不一定是国际上的标准术语，仅供参考。

2.2 符 号

本规范给出了 20 个常用符号并分别给出了定义，这些符号都是本规范中所引用的。

3 荷载分类和荷载组合

3.1 一般规定

3.1.1 设计基准期是为确定可变荷载及与时间有关的材料性能取值而选用的时间参数。现行国家标准《建筑结构荷载规范》GB 50009 规定民用建筑的设计基准期为 50 年，设计使用年限也为 50 年，但温室结构设计使用年限一般为 10 年～20 年，过长的设计基准期会增大温室的设计荷载。为了保证 10 年～20 年重现期的数据具有典型代表性，风荷载采用气象学上使用的一个标准气候期 30 年的基础数据(即基准期为 30 年)进行统计分析。为此，本规范设计基准期取 30 年。对于雪荷载，由于统计数据不全，仍按现行国家标准《建筑结构荷载规范》GB 50009 规定，基准期为 50 年，并推算给出 10 年、15 年和 20 年一遇的设计值。

3.1.2 根据不同类型的温室给出不同的设计使用年限。温室的设计使用年限主要指主体结构的使用年限，作为围护结构的透光覆盖材料的使用年限，塑料薄膜为 1 年～10 年，聚碳酸酯板为 5 年～15 年，玻璃只要不破损，使用寿命可达几十年。温室主体结构常用的热浸镀锌钢材，从抗腐蚀的角度来讲，使用寿命一般也在 20 年以上。本规范提出不同温室主体结构的设计使用年限主要是根据材料、造价综合考虑的结果。

3.1.3 结构重要性系数一般按结构构件的安全等级、设计使用年限并考虑工程经验确定。本规范适用范围为农业温室，结构构件多采用冷弯薄壁型钢做承重结构材料，温室内工作人员少、结构破坏产生的后果不严重，按照现行国家标准《工程结构可靠性统一标准》GB 50513 的有关规定，将温室钢结构安全等级规定为三级，重要性系数可取 0.90。

3.2 荷载分类和荷载代表值

3.2.1 本规范的荷载分类方法与民用建筑类同，根据温室的荷载特点，荷载不考虑偶然荷载，增加了温室中特有的荷载，如作物荷载、移动设备荷载等。

3.2.2 荷载可根据不同的设计要求，规定不同的代表值，以使之能更确切地反映它在设计中的特点。本规范根据温室结构的荷载特点，给出荷载的三种代表值，标准值、组合值和准永久值。荷载标准值是荷载的基本代表值，其他代表值都是在标准值的基础上乘以相应的系数后得出的。

3.2.3 本规范提供的荷载标准值，有些为实测值和根据不同厂家提供的材料给出的标准值，在设计中应由业主认可后采用，并在设计文件中注明。

3.2.4 按承载能力极限状态进行构件设计时，主要采用的是基本组合，应按荷载效应和地震作用效应的基本组合进行设计。本规范只给出不考虑地震作用的基本组合的荷载效应，对于地震作用效应的基本组合，按照现行国家标准《建筑抗震设计规范》GB 50011—2010 第 5.4.1 条的规定执行。

3.2.5 对正常使用极限状态，如控制变形及沉降等，应从不同的要求出发选择荷载的代表值。

3.3 荷 载 组 合

3.3.1 本条给出荷载组合的原则。第一款对屋面均布活荷载不与雪荷载同时考虑，应取两者中的较大值，但对屋面均布活荷载大于均匀分布雪荷载的情况，也应考虑不均匀分布雪荷载的组合。

3.3.2 设计中的极限状态往往以结构的某种荷载效应，如内力、应力、变形等超过相应规定的标志为依据。根据设计中要求考虑的结构功能，结构的极限状态在总体上可分为两大类，即承载能力极限状态和正常使用极限状态。对承载能力极限状态，一般是以结构的内力超过其承载能力为依据；对正常使用极限状态，一般是以结构的变形、裂缝等参数超过设计允许的限值为依据。

3.3.3 本条中公式(3.3.3)为不考虑地震作用时的组合。

3.3.4 对温室结构荷载的基本组合，式(3.3.4)给出的组合形式为通用的表达式，如果不能确定所考虑的可变荷载中哪个起控制作用时，可逐个取作主导可变荷载，其余的取作非主导可变荷载进行计算，选择其中最不利结果的组合为设计依据。

3.3.5～3.3.7 温室结构正常使用极限状态设计主要用于计算温室结构的变形。计算正常使用状态的挠度时荷载采用标准组合，计算基础沉降时荷载采用准永久组合。本规范直接给出荷载的标准组合和准永久组合的公式。对于频遇组合，因温室设计中未考虑偶然荷载，所以未列出频遇组合的公式。

3.3.8 荷载分项系数与温室的安全水平密切相关，一般的农业温室内工作人员很少，因此，其结构设计的安全水平要低于工业与民用建筑结构要求。本规范对基本风压的取值由10 min风速修订为3s的风速；根据30年风荷载统计数据，通过可靠度分析计算，并参考国外温室规范，针对温室的特点，荷载组合中的风荷载系数从现行国家标准《建筑结构荷载规范》GB 50009规定的1.40修订为本规范的1.00。对作物荷载及其他活荷载因其变异性小，分项系数取1.20；对雪荷载分项系数考虑温室屋面覆盖材料热阻值小、传热快，对雪荷载分项系数作了适当调整，取1.20。组合值系数仍与现行国家标准《建筑结构荷载规范》GB 50009的有关规定一致。

3.3.9 本规范主要对温室荷载作出规定。对于位于抗震设防地区的温室结构，地震作用是必须考虑的主要作用之一。由于现行国家标准《建筑抗震设计规范》GB 50011已经对地震作用作了相应规定，本规范不再给出，因有温室特有荷载，故给出可变荷载的组合值系数。

4 永久荷载

4.0.1 本条给出常作用于温室结构的永久荷载。结构构件主要包括立柱、桁架、屋架、天沟等构件;围护构件主要包括檩条、透光覆盖材料及其支撑框等构件。

4.0.2 结构构件自重的标准值是建筑结构的永久荷载,由于其变异性不大,可按结构构件的设计尺寸与材料单位体积的自重计算确定。对于在本规范附录A中列出的温室设备重量是调研得出,对于薄膜和遮阳网等轻质材料因占温室荷载比例很小,未按材料不同厚度分别给出,按较厚材料重量给出。

4.0.3 加温管道、喷灌管道、湿帘、人工光照灯具等设备固定在温室结构上,安装完毕后位置固定不动,按永久设备荷载考虑。竖向均布荷载0.07 kN/m^{2}参照欧盟温室标准《温室设计与建造　第1部分:商业化生产温室》(Greenhouses-Design and construction-Part 1: Commercial production greenhouses)(EN 13031-1:2001)给出。

4.0.4 对于作用在温室山墙、侧墙墙梁上支撑遮阳网的压幕线及托幕线、吊挂微喷灌系统的水平支撑线、拉幕机钢缆驱动线,参考欧盟规范给出单根驱动线的水平拉力,山墙、侧墙墙梁按设备配置方式应考虑水平拉力。

5 作物荷载

5.0.1 本条明确了作物荷载所包括的内容。

5.0.2 通过对全国典型地区温室进行调研，同时选择目前种植较多的黄瓜、番茄、西瓜、甜瓜、茄子、辣椒、丝瓜等7种吊挂作物，取得代表性温室吊挂作物荷载的大小和统计规律，给出不同类别作物的荷载标准值。对于特殊种植的作物荷载，按实际情况考虑荷载。

5.0.3 吊挂方式因温室类型不同和作物品种及栽培模式的不同而不同。本规范附录B列出常见的几种吊挂方式及吊线张力的计算方法。

5.0.4 吊线对山墙、侧墙立柱和墙梁等构件产生的水平力及竖向力，依据实际使用情况进行核算。本规范附录B给出了吊线在端部固定点作用力的计算方法。

6 雪荷载

6.1 雪荷载标准值及基本雪压

6.1.1 屋面雪荷载的计算方法采用了现行国家标准《建筑结构荷载规范》GB 50009—2012 第 7 章给出的方法。与民用建筑不同的是温室屋面透光覆盖材料的热阻小，当温室内温度较高时，热量会很快从透光覆盖材料传出，促使屋面积雪部分融化，所以计算时增加了温室特有的加热影响系数。

6.1.2 基本雪压直接采用了现行国家标准《建筑结构荷载规范》GB 50009 给出的全国各地的雪压值。由于温室的设计使用年限与现行国家标准《建筑结构荷载规范》GB 50009 给出的 50 年的设计基准期有差异，所以，在计算温室结构设计基本雪压时按照现行国家标准《建筑结构荷载规范》GB 50009—2012 附录 E 给出的方法，将 50 年的重现期换算为 10 年、15 年和 20 年重现期的雪荷载值直接在附录 C 给出。

6.2 屋面积雪分布系数及加热影响系数

6.2.1 温室屋面积雪分布系数与气候、地区和屋面形式等因素有关，由于相关研究缺乏，本规范在参考国内外相关标准的基础上，对屋面积雪分布系数进行了规定。一般温室覆盖材料表面光滑，传热系数较小。屋面上积雪容易融化或滑落到地面，不存在旧雪长期积存的问题。因此，屋面积雪分布系数可作适当折减。参考欧盟温室标准《温室设计与建造　第 1 部分：商业化生产温室》(Greenhouses-Design and construction-Part 1：Commercial production greenhouses)(EN 13031-1：2001)，将均匀分布情况下屋面积雪分布系数最大值定为 0.8，将不均匀分布情况下屋面天沟处的积雪分布系数最大值定为 2.0μ_r或 2.0$\mu_{r,m}$。对于不同屋面的特殊规定说明如下：

(1)单跨单坡屋面。该屋面积雪分布系数按照欧盟温室标准《温室设计与建造　第 1 部分：商业化生产温室》(Greenhouses-Design and construction-Part 1：Commercial production greenhouses)(EN 13031-1：2001)给出。

(2)单跨Ⅱ型锯齿形屋面。屋面积雪在风力作用下发生漂移，并在锯齿处堆积，参考多跨Ⅰ型锯齿形屋面确定锯齿处积雪分布系数为 2.0$\mu_{r,m}$。左侧拱形屋面的积雪分布系数按最不利情况，参考单跨拱形屋面给出。

(3)双跨Ⅱ型锯齿形屋面。考虑到积雪容易在锯齿及天沟处发生累积，其积雪分布系数取 2.0$\mu_{r,m}$。其他屋面部分的积雪分布系数则参考单跨Ⅱ型锯齿形屋面给出。

(4)双跨Ⅲ型锯齿形屋面。考虑到钝锯齿处构件可能阻碍屋面积雪滑落，其积雪分布系数根据风向分别取 0.5$\mu_{r,m}$和 $\mu_{r,m}$。其他部分则按双跨拱形屋面给出。

(5)高低屋面。根据现行国家标准《建筑结构荷载规范》GB 50009—2012，高屋面对低屋面积雪的影响范围不超过 8m。一般 Venlo 型温室跨度为 3.2m、3.6m 和 4m，则高屋面对低屋面积雪的影响范围不会超过 2.5 个跨度。若温室跨度超过 5m，则高屋面积雪容易在与高屋面相邻的天沟内累积。为此，规定该情况下高屋面对低屋面积雪的影响范围为 1.5 个跨度。另外，高屋面一般保温性能较好，积雪容易积存，其积雪分布系数按现行国家标准《建筑结构荷载规范》GB 50009—2012 取 1.0。低屋面主要为覆盖透光材料的连栋温室，其积雪分布系数则作适当折减，积雪受高屋面影响的低屋面部分的积雪分布系数取 1.6，其余部分取 0.8。

(6)日光温室屋面。根据代春辉等的《日光温室积雪规律及其积雪分布系数研究》，日光温室前屋面积雪呈三角形分布，且雪荷载最大值在前屋面 1/3 处时，前屋面受力情况最不利。由此确定前屋面的积雪分布系数。后屋面积雪分布系数参照单跨单坡屋面给出。

(7)阴阳型日光温室屋面。阴阳型日光温室屋面左右两侧半拱形屋面积雪分布系数按单跨拱形屋面给出;中部后屋面积雪分布系数则按双跨双坡屋面给出。

6.2.2 加热影响系数主要根据不同的屋面覆盖材料传热系数及温室加热方式确定。

6.2.3 温室与民用建筑相比,结构杆件截面小,雪荷载不均匀分布对结构整体性能影响较大,所以整体计算需要考虑雪荷载均匀和不均匀分布两种情况。

7 风 荷 载

7.1 风荷载标准值及基本风压

7.1.1 风荷载计算方法采用了现行国家标准《建筑结构荷载规范》GB 50009—2012 第 8.1.1 条的方法。现行国家标准《建筑结构荷载规范》对于 30m 以下且高宽比小于 1.5 的房屋建筑，可以不考虑脉动风压影响，此时风振系数 β_z 取为 1.0。农业温室高度基本在 10m 以下，所以将风振系数直接取为 1.0。

7.1.2 温室结构自重较轻，常常瞬间阵风就可将温室摧垮，所以根据温室特点，将确定基本风压的风速的平均时距由 10min 调整为 3s 很有必要。本规范基本风压是按空旷平坦地面上、B 类地面粗糙度、离地 10m 高处时距为 3s 风速确定的风压值。考虑到温室结构设计使用年限为 10 年～20 年，参考国外温室标准规范，并结合我国国情，本规范确定基本风压按照 30 年设计基准期取值，具体数据通过统计分析我国主要城市气象台站 1981 年～2010 年的记录后获得，列于本规范附录 D 中。考虑到温室不论在什么地方建设，均应该有一个最低承载要求，为此，本规范给出最小风荷载设计值为 0.25kN/m^2，相当于 8 级风的风力。

7.1.3 本规范附录 D 的风速统计资料包括全国 756 个台站的数据，但一些台站由于建成比较晚，无早期相关风速数据，本规范对建设地点的基本风压值在本规范附录 D 中未给出时，提出了两种方法计算基本风压，可根据实际设计条件任选其一。其中按第 1 款方法确定时，应按照现行国家标准《建筑结构荷载规范》GB 50009—2012 附录 E 给出的方法，通过统计分析确定。

7.2 风压高度变化系数

7.2.1 风压高度变化系数的取值是考虑到温室高度基本在10m以下，而气象站给出的风速资料对应A、B、C类分别为5m、10m和15m高度，根据地面粗糙度及梯度风高度，对风压高度变化系数进行了换算。本规范直接给出了温室10m以下的风压高度变化系数。对于C类风压高度变化系数取值不小于0.60。

7.2.2 山区地形对风荷载影响复杂，本规范参照现行国家标准《建筑结构荷载规范》GB 50009的有关规定对风压高度变化系数进行修正。

7.2.3 本条分别给出了在计算温室主体结构和围护结构时，风压高度变化系数取值所对应的地面高度的计算方法。

7.3 风荷载体型系数

7.3.1 0°风向时各屋面的风荷载体型系数参照国内外相关标准确定。对不同屋面特殊规定的具体说明如下：

(1)单跨双坡屋面、单坡屋面、单跨落地拱形屋面、拱形屋面和多跨Ⅰ型锯齿形屋面。上述屋面风荷载体型系数按现行国家标准《建筑结构荷载规范》GB 50009—2012的有关规定直接给出。

(2)多跨双坡屋面、多跨拱形屋面、多跨Ⅱ型锯齿形屋面和多跨Ⅲ型锯齿形屋面。根据欧盟温室标准《温室设计与建造 第1部分：商业化生产温室》(Greenhouses-Design and construction-Part 1:Commercial production greenhouses)(EN 13031-1:2001)，多跨双坡屋面和多跨拱形屋面侧墙的风荷载体型系数与单跨双坡或拱形屋面相同；屋面的风荷载体型系数随跨数增加而逐步减小。因此，多跨屋面侧墙、第一跨屋面风荷载体型系数参照其单跨形式给出，第二跨和第三跨屋面风荷载体型系数则随跨数增加而逐步减小。当温室连跨数超过3跨后，中部屋面风荷载体型系数不再随跨数增加而减小。

(3)日光温室屋面和阴阳型日光温室屋面。日光温室屋面和阴阳型日光温室半拱形屋面的风荷载体型系数按照拱形屋面给出。日光温室山墙和后屋面的风荷载体型系数按照单跨双坡屋面给出;阴阳型日光温室后屋面的风荷载体型系数按照多跨双坡温室给出。

90°风向时各屋面的风荷载体型系数参照国内外相关标准确定,具体说明如下:

(1)多跨双坡屋面和多跨拱形屋面温室。上述温室屋面及侧墙的风荷载体型系数按照欧盟标准《温室设计与建造 第1部分:商业化生产温室》(Greenhouses-Design and construction-Part 1: Commercial production greenhouses)(EN 13031-1:2001)给出。迎风面和背风面山墙的风荷载体型按照现行国家标准《建筑结构荷载规范》GB 50009—2012的有关规定直接给出;

(2)单跨落地拱形屋面。该屋面风荷载体型系数按照欧盟标准《温室设计与建造 第1部分:商业化生产温室》(Greenhouses-Design and construction-Part 1: Commercial production greenhouses)(EN 13031-1:2001)给出。

7.3.2 对于围护结构中的屋顶脊梁部、山墙两端、侧墙两端及屋檐边的围护构件,计算围护构件及其连接构件的风荷载时,为计算方便,参考台湾大学农业工程学系农业设施研究室编《设施园艺设计手册》,局部体型系数按1.50考虑。

8 其他可变荷载

8.1 屋面活荷载

8.1.1 现行国家标准《建筑结构荷载规范》GB 50009—2012 对结构屋面均布活荷载一般按 0.50 kN/m² 取值，最低不小于 0.3 kN/m²。考虑到温室屋面多为玻璃、聚碳酸酯板、塑料薄膜，维修人员一般不会直接站在上面，维修人员也不会携带太重的工具，故温室屋面均布活荷载按现行国家标准《建筑结构荷载规范》GB 50009—2012 对结构屋面均布活荷载的最小值又进行了折减。

8.1.2 施工检修集中荷载主要为施工、检修温室时引起的。设计屋面檩条、天沟等构件时，除单独考虑屋面均布活荷载外，还应另外验算在施工、检修时可能出现在最不利位置上，由人和工具等形成的集中荷载。

8.2 移动设备荷载

8.2.1 移动设备荷载由于其荷载大小及其作用位置是随着设备的运行在不断变化，与固定设备荷载和风雪等可变荷载有较大的区别，为此，本规范专门提出了移动设备荷载。作用在温室结构上常见的移动设备主要有自行走式喷灌车、卷帘机等，其中日光温室保温被与卷帘机共同作用并入移动设备荷载一起考虑。近年来，随着大型连栋温室自动化以及物流技术的发展，大量物流运输设备直接或间接地挂靠在温室的主体结构上，成为温室结构设计必须考虑的荷载。荷兰等北欧寒冷国家还开发了温室屋面清雪设备、屋面检修设备等。具体设计时应根据温室的设备配置计算移动设备荷载。

8.2.2 温室结构上移动设备一般荷载都不大，运行速度不高，所以可不考虑移动设备的启动和刹车力，故动力系数按 1.0 取值。